はじめの一歩《いっぽ》

THE FIGHTING!

20

森《もり》川《かわ》ジョージ

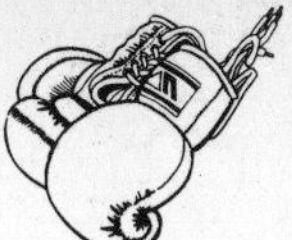

Round Table《もくじ》

はじめの一歩

はじめの一歩《いっぽ》

THE FIGHTING!

Round《ラウンド》 170 りんご

運命《うんめい》のテンカウント!
壮絶逆転《そうぜつぎゃくてん》KO《ケーオー》!!
誰《だれ》もいないリングに鳴《な》り止《や》まない幕之内《まくのうち》コール!
釣船
幕之内
ブロロオオ…
気分《きぶん》よかった〜〜〜っ
今《いま》一歩《いっぽ》はボクシングファンの中《なか》じゃちょっとしたヒーローっスよ
鼻《はな》高《たか》いっスよオレあっ
……と
脳波《のうは》に異常《いじょう》なかったみたいだし
医者《せんせい》は熱《ねつ》がひけば大丈夫《だいじょうぶ》だって言《い》うんだけど
河合病院
内科
外科
整形外科
理学診療科
小児科
まだ熱《ねつ》ひかないんですか?
うん……
意識《いしき》はあるんだけどねえ

何《なに》しろ もう 3日間《みっかかん》も うなされっ放《ぱな》し だからね・・・
キッ
母親《ははおや》の立場《たちば》ってのも 複雑《ふくざつ》だよな
・・・・
世間《せけん》じゃヒーローでも 社長《しゃちょう》にとっちゃ たった一人《ひとり》の息子《むすこ》だもんな
このうえ仕事《しごと》の 心配《しんぱい》まで させられねえ
パン
ここはひとつ オレがシャキッと せねば
ブロオオ・・・
早《はや》くよく なれよォ 一歩《いっぽ》！
501
幕之内一歩
ホッ
36.5℃

よかった
熱《ねつ》はひいたみたい
氷《こおり》とりかえなきゃね
・・・・
お前《まえ》がヒーローねえ・・・・
もっとまともな顔《かお》で帰《かえ》ってきてくれれば母《かあ》さんも喜《よろこ》べるのに
コン
コン
はい・・・・
一歩《いっぽ》!お見舞《みま》いの人《ひと》がきたよ
きっと会長《かいちょう》さん達《たち》よ
目《め》を覚《さ》ましなさい一歩《いっぽ》!

コン
コン
はい！どうぞ
ギ・・・・
コ・・・・
コンニチハ
あ・・・・
アノ・・・・幕之内《まくのうち》の具合《ぐあい》は・・・・
入院《にゅういん》したと聞《き》いて気《き》になってしまっテ・・・・
ま 幕之内《まくのうち》のお母《かあ》さんでスね？
すいません！
ぺこ
ぺこ
ぺこ
やったのはボクでスすいません
あらあらあらあら

いいんですよォ 試合《しあい》の上《うえ》のコト なんだし
アナタの方《ほう》こそ 傷《きず》だらけに なっちゃって
ヴォルグさん …ね？
座《すわ》って ちょうだい
このコ 寝《ね》てるけど 果物《くだもの》むきます から
あ いや
何《なん》にします？
お見舞《みま》いで たくさん きてるの
あ……
じゃ じゃあ
リンゴ お願《ねが》い します
まったく ねえ
ハ ハイ？
子供《こども》みたいな 寝顔《ねがお》でしょう？
シャリ シャリ
昔《むかし》から寝顔《ねがお》は ちっとも変《か》わら ないんですよ
……

・・・・・・・・
どうぞ
い いただきまス
コト…
とてもおいしいでス
あらっ外国《がいこく》の方《かた》なのにお上手《じょうず》なのね
上手《じょうず》？
食《た》べ方《かた》が？
そうじゃなくて‥‥
やっぱり外国《がいこく》の方《かた》ね
なんだか久《ひさ》し振《ぶ》りの味《あじ》がするんでス
リンゴを食《た》べるのが久《ひさ》し振《ぶ》りという訳《わけ》ではないのでスが
とてもおいしいでス
久《ひさ》し振《ぶ》りの味《あじ》‥‥？
ソ連産《れんさん》のリンゴってあるのかしら？

それじゃ帰《かえ》りマス
幕《まく》之《の》内《うち》にヨロシク伝《つた》えて下《くだ》さイ
あらっ
一《いっ》歩《ぽ》！ヴォルグさん帰《かえ》っちゃうよ
あいさつなさい一《いっ》歩《ぽ》！
あ いや いいでスから
すいませんねえ・・・・
あ！
コレ持《も》って帰《かえ》って下《くだ》さいな
あ ありがとうございまス
あの・・・・
はい？
その・・・・
？
し・・・・心配《しんぱい》でスよね
幕《まく》之《の》内《うち》のコト・・・・

そりゃもう
好《す》き勝《かっ》手《て》やって
こんな顔《かお》で
帰《かえ》ってこられたら
親《おや》の気《き》も
知《し》らないでって
言《い》いたくなるけど
……
いつもいじめられて
帰《かえ》ってきたこのコが
自分《じぶん》で
好《す》きなコト見《み》つけて
一生懸命《いっしょうけんめい》になって
そんな姿《すがた》
見《み》せられちゃうと
文句《もんく》言《い》えなく
なっちゃうのよ
なんであれ
息子《むすこ》のがんばってる
姿《すがた》って……
母親《ははおや》には
いいもの
だから
あ ごめんなさい
長《なが》くなっちゃって
いいえ

ありがとう
ございまシタ
パタ
お礼《れい》を言《い》うのは
こっちなのに……
——ずっと
コッ
コッ
ずっと
悩《なや》んでいタ
母《かあ》さんに
なんて報告《ほうこく》
していいものカ
……
コッ
コッ
コッ
負《ま》けたコトを
伝《つた》えたら
どんな顔《かお》を
するだろウ
どれほど心配《しんぱい》
するだろウ
ガサッ
伝《つた》える方法《ほうほう》すら
見《み》つからなかっタ
手紙《てがみ》を
書《か》こウ
国際電話《こくさいでんわ》じゃ
いくらかかるか
わからないくらい
話《はなし》があるから
日本《にほん》で色々《いろいろ》な
経験《けいけん》をしたヨ
色々《いろいろ》な人《ひと》に
出会《であ》ったヨ
何《なに》から書《か》きだして
いいかわからない
くらい……

でも結《むす》びの言葉《ことば》
だけは決《き》まったヨ
カリッ
「母《かあ》さんボクは――
がんばっています」
――と

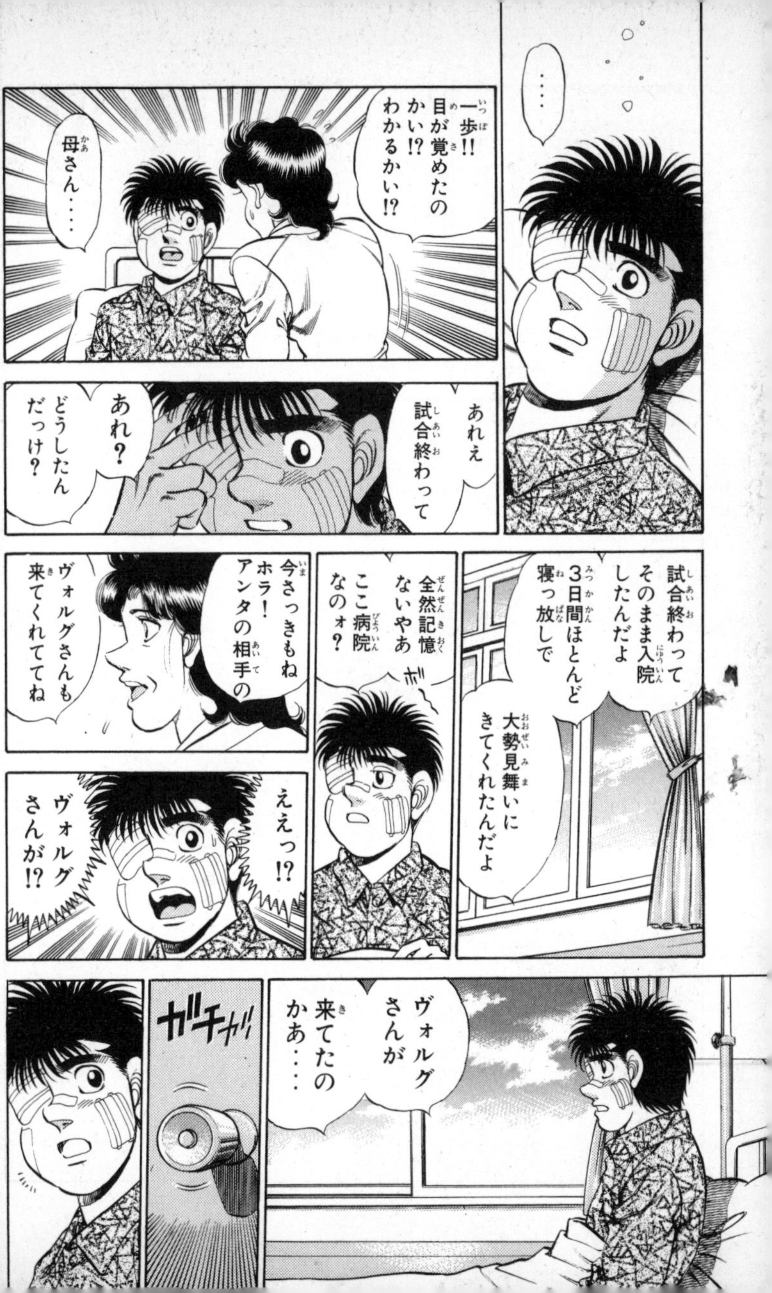
・・・・
一歩《いっぽ》!! 目《め》が覚《さ》めたのかい!? わかるかい!?
母《かあ》さん・・・・
あれぇ 試合《しあい》終《お》わって
あれ? どうしたんだっけ?
試合《しあい》終《お》わってそのまま入院《にゅういん》したんだよ 3日間《みっかかん》ほとんど寝《ね》っ放《ぱな》しで
大勢《おおぜい》見舞《みま》いにきてくれたんだよ
全然《ぜんぜん》記憶《きおく》ないやあ ここ病院《びょういん》なのォ?
ボ〜
今《いま》さっきもね ホラ! アンタの相手《あいて》の ヴォルグさんも来《き》てくれててね
ええっ!? ヴォルグさんが!?
ヴォルグさんが来《き》てたのかあ・・・・
ガチャ!!

どヤどヤ
あ――っ目《め》ェ覚《さ》ましてやがる
病院《びょういん》なんだから静《しず》かにして下《くだ》さいよ
よォどうだい具合《ぐあい》は？
み……みんな
毎日《まいにち》来《き》てくれてるんだよ
ま毎日《まいにち》!!
ご心配《しんぱい》かけました
もう大丈夫《だいじょうぶ》ですから
検診《けんしん》の時間《じかん》まだか？
ぼそぼそぼそ
そろそろっスよ
……
な何《なに》そわそわしてるんだ……？
あれ――っ幕之内《まくのうち》くん目《め》ェ覚《さ》ましたのね
気分《きぶん》はどう？

お姉《ねえ》さんずっと心配《しんぱい》してたのよ
お おかげ様《さま》で・・・・
ぞろ ぞろ
ん
熱《ねつ》は下《さ》がったみたいね
!
・・・・
ありがとうございます
これで一安心《ひとあんしん》ですね
看護婦《かんごふ》さんが目当《めあ》てだったのか・・・・
それじゃ
尿《にょう》をとりましょうか？
ガバーッ
?
?
ススス・・・
ええっ!?
今《いま》まで3日間《みっかかん》看護婦《かんごふ》さんがそれやってくれたんですか？

下《さ》がっててください
れー子《こ》さんにこんなモノ触《さわ》らせられませんぜ
よーし青木《あおき》!! いつものように・・・・・・しぼり取《と》ってやれ!!
へいっ
い いつものようにって今《いま》までずっと・・・・
初《はじ》めはあんまり大《おお》きいから怖《こわ》かったけど
すっかり慣《な》れちゃったよォ
ス〜〜
・・・・・・
もう目《め》ェ覚《さ》めましたから!
自分《じぶん》でやってきます
あっ
パタン
ほっといたら何《なに》されるかわからないよ
なんでえあのヤロォ感謝《かんしゃ》の気持《きも》ちが足《た》りねえよ
ショックだろうなあ

それじゃまたきますから
お騒《さわ》がせしてすみません
よォよォ
昨日《きのう》の件《けん》どうなったよオ？
シーーッ
婦長《ふちょう》さんに聞《き》こえちゃうよ
合《ごう》コンの件《けん》でしょ？
プロボクサーと遊《あそ》びに行《い》こうって言《い》ったらみんな興味津々《きょうみしんしん》でさ
こちらこそ看護婦《かんごふ》さん達《たち》となんて‥‥
なあっ
後輩《こうはい》にボクシングにくわしいコがいるのよ
昨夜《ゆうべ》それで盛《も》りあがっちゃって
もうみんなノリ気《き》よォ
よっしゃ!!
頼《たよ》りになるぜれー子《こ》さん!!

一歩《いっぽ》くん仲間《なかま》はずれにしちゃイヤよ
←非常
あのコかわいいから看護婦《ナース》の間《あいだ》で人気《にんき》あるもの
日取《ひと》りは一歩《いっぽ》が退院《たいいん》してからってコトだな
ふむふむ
こっちは4人《にん》か念《ねん》のためそっちの頭数《あたまかず》なんスけど
まかせて！まかせて！
かわいいトコみつくろってちゃんと揃《そろ》えるから
おお
その後輩《こうはい》も連《つ》れてくわ なんたって身内《みうち》にボクサーがいるくらいだから
話《はなし》が合《あ》うかもしれないもんね
ほーーっ
た・の・し・み・ね♡

ああ!!
お手洗・洗面
マ マジックでイタズラ書《が》きしてある!
あの人達《ひとたち》がタダで親切《しんせつ》なんてするワケないと思《おも》ったんだ
鷹村参上!
手遅《ておく》れだった……
くそ〜〜〜っ
知《し》らないうちにこんなトコもてあそばれてたなんて……
あう!?
くらっ
ま まだダメージ残《のこ》ってる 3日《みっか》も寝《ね》てたんだもんなあ……
大丈夫《だいじょうぶ》ですか?
あ はい 大丈《だいじょう》……
……夫《ぶ》

コツン‥‥
まだ歩《ある》き回《まわ》らない方《ほう》がいいですよ 頭《あたま》のダメージはなかなかとれませんから‥‥
あ‥‥
パ パン屋《や》さんの‥‥いや
間柴《ましば》さんの――妹《いもうと》さん!?
久《ひさ》し振《ぶ》りです 私《わたし》のコト‥‥
覚《おぼ》えてますか?

はじめの一歩

私《わたし》のコト
覚《おぼ》えてますか？
あ……
ドキ ドキ
ドキ ドキ
ま 間柴《ましば》さんの妹《いもうと》さんだ……!!
はじめの一歩《いっぽ》
THE FIGHTING!
あ……
と
ええと……
そっか……
忘《わす》れちゃいましたか

Round《ラウンド》 171 合《ごう》コンと親孝行《おやこうこう》の間《あいだ》で

忘《わす》れてない
忘《わす》れてない
そうですよね 幕《まく》之《の》内《うち》さんは 私《わたし》のこと
パン屋《や》さんの 印象《いんしょう》しか ないし‥‥
ちゃんと覚《おぼ》えてるのに〜〜〜っ
覚《おぼ》えてる ワケない ですよね ‥‥
ま‥‥ 間《ま》柴《しば》さんの
妹《いもうと》さん ですよね ‥‥
ドキドキ
ドキドキ
あ あれえ 嬉《うれ》しいな
覚《おぼ》えててくれたんですか？
私《わたし》もよく 覚《おぼ》えて ます！
えっ!?
ぎくう
は
はい───っ
ぜ 絶対《ぜったい》悪《わる》い印象《いんしょう》だよ
きっとあの試合《しあい》観《み》てるもの

あの試合《しあい》のアト
兄《にい》さん・・・・
ややっぱり
きた！
幕之内《まくのうち》〜〜〜
みてろ〜〜〜
覚《おぼ》えてろよ
〜〜〜って
呪文《じゅもん》みたいに
くり返《かえ》すもの
だから
今《いま》
謝《あやま》ろうと
思《おも》ったのに
・・・
・・・・
ま〜
く〜
の〜
う〜
ち〜
ああの
気《き》を悪《わる》く
しないで下《くだ》さいね
試合《しあい》の勝敗《しょうはい》のコトで
私《わたし》も・・・
きっと兄《にい》さんも
幕之内《まくのうち》さんのこと
恨《うら》んでませんから
あれから兄《にい》さん
変《か》わったっていうか
すごく
ボクシングに
ひたむきで
私《わたし》も前《まえ》より
素直《すなお》に応援《おうえん》
できるように
なったんです
そ・・・・
そうです
か・・・・
ほ〜〜

そうだ！こないだのA級《きゅう》トーナメント
間柴《ましば》さんどうなりました？
ボクあの後《アト》わからないから‥‥
にこっ
ゆ優勝《ゆうしょう》したんですか!?
うわあっやっぱりさすがだなあ
私《わたし》幕之内《まくのうち》さんが病院《うち》に入《はい》った時《とき》から
兄《にい》さんのコト報告《ほうこく》したくて‥‥
いやあ嬉《うれ》しいです間柴《ましば》さんすごくがんばってると思《おも》うと
励《はげ》みになるし
ありがとうございます
元気《げんき》出《で》てきました！
ああの
言《い》いたかったコト‥‥
本当《ほんとう》はこっちが本命《ほんめい》で‥‥

幕之内《まくのうち》さんの
元気《げんき》な顔《かお》みて
ホッとしました
ずっと
気《き》になってた
から・・・
ペコッ
お大事《だいじ》に
たっ
たっ
たっ
たっ
たっ
火栓
ままっ赤になって
走《はし》り去っていった
ボクのコトを
気《き》にしてたって・・・
ドキ
ドキ
ドキ
ドキ
ドキ
ドキ
いけないいけない
いつもの
ぬか喜《よろこ》びパターンに
はまるとこだった
そりゃ
看護婦《かんごふ》さんだもの
気《き》にするよね

だけど
間柴《ましば》さんの妹《いもうと》が
看護婦《かんごふ》さんに
なってただなんて
テク テク テク テク
入院中《いままで》3日間《みっかかん》
記憶《おく》ないなんて
もったいないコト
したよォ
前《まえ》よりずっと
かわいく
見《み》えたなあ
……
テク テク テク テク
501
幕之内一歩
長《なが》いトイレだね
鷹村《たかむら》くん達《たち》
帰《かえ》っちゃったよ
あっ
来《き》てたん
だっけ
どうしたのよ
うかれた顔《かお》
しちゃって
元気《げんき》になって
うかれるのは
いいけどね
ズボンの
前《まえ》くらい
閉《し》めて
きなさいよ
え?
パク
……
走《はし》り去《さ》る
ワケだ……

5日間《いつかかん》の入院生活《にゅういんせいかつ》を経《へ》て
退院《たいいん》の日《ひ》——
まだ無理《むり》しちゃダメだよ
はい
お世話《せわ》になりました
一歩《いっぽ》くん!
またね♡
え? あ はい
またケガした時《とき》はよろしくお願《ねが》いします
キョロ キョロ
……
河合病院
結局《けっきょく》あれから会《あ》えなかったなあ…
どうしたよ?
あ いや なんでも
釣り船 幕之内

す すいません 気《き》を使《つか》ってもらっちゃって
誰《だれ》から電話《でんわ》だい？
青木《あおき》さん達《たち》がボクの祝賀会《しゅくがかい》と退院祝《たいいんいわ》いをしてくれるんだって
はい これからですね？ すぐ行《い》きますから
これからすぐ？
ずいぶん急《きゅう》な話《はなし》だね
病《や》み上《あ》がりなんだから無理《むり》しちゃダメよォ
釣り船 幕之
TEL
はーーーい
WOODSTOCK
BIG
あ

おうきたか!
遅《おせ》えぞタコ!!
すいません
なんだか申《もう》し訳《わけ》ないですね
ボクのために集《あつ》まってもらっちゃって
おう今日《きょう》はオレが幹事《かんじ》だ
きっちりしきるからよ
楽《たの》しみだなあ
どこに行《い》くんですか?
待《ま》てよォ
もうすぐみんな集《あつ》まるからよォ
みんな?まだ来《く》るんですか?
あっ
来《き》たあっ!!

ごめ──ん
遅刻《ちこく》でーす
ごめんねえ 4人《にん》揃《そろ》って 出《で》てくるの 大変《たいへん》なのよ
いやあ オレ達《たち》も今《いま》来《き》たんスよ
エヘヘ
こんばんは 一歩《いっぽ》くん♡
あれ?
・・・・
全部《ぜんぶ》読《よ》めたぞ
そ──ですか
ボクはまんまと・・ダシに使《つか》われたワケですね
ダシ?
違《ちが》うぞ!!

お前《まえ》は財布《さいふ》だ!!
えっ!?
PRINTED IN
proud of them.
トーナメントの優勝《ゆうしょう》とMVP《エムブイピー》の賞金《しょうきん》が80万《まん》くらいだったよな
頼《たの》むよォ一歩《いっぽ》ちゃん今晩《こんばん》金《かね》かかりそうなんだよ
財布《さいふ》ってコトで納得《なっとく》してくれ!
……
逃《に》がさん!!
な納得《なっとく》できないですよ!!
だって賞金《しょうきん》で母《かあ》さんにマッサージ機《き》プレゼントするんだもん!!
何《なに》もめてるの?
いやあちとコイツが聞《き》きわけなくてよ
あっ!!

こ
こんばんは
あの‥‥幕之内《まくのうち》さん
何《なに》か都合《つごう》悪《わる》いんですか?
ん‥‥
あれ?
おいおい間柴《ましば》の妹《いもうと》じゃねえかよ
知《し》ってたか?
いや‥‥聞《き》いてないよ
ん‥‥
ボーー〜ッ
ボクシングに詳《くわ》しい後輩《こうはい》ってこのコのコトか
しかし驚《おどろ》いた偶然《ぐうぜん》だぜ
ニヤリ

残念《ざんねん》なんスけどね
一歩《いっぽ》のヤツ何《なに》か用事《ようじ》あるみたいで・・・
えーーっ一歩《いっぽ》くん帰《かえ》っちゃうの!?
せっかく人数《にんずう》合《あ》わせて来《き》たのにィ
あ・・・・
いや・・・・
ちら
じゃあないスよ残《のこ》ったもンで楽《たの》しくやりましょうよ
ぞろぞろ
そうスよせっかく集《あつ》まったんスから
あ〜〜〜ん残念《ざんねん》だなあ
あ・・・・
せいぜい親孝行《おやこうこう》するんだな
ス〜〜〜ッ!!
マッサージ機《き》をプレゼントかあ
いい話《はなし》だぜ
・・・・

わはははははっ
それでよォ
もう鷹村《たかむら》くんさっきからH《エッチ》な話《はなし》ばっかり
こっからがおもしろいんだって
あはは
こんなんだぜ!? 信《しん》じらんねーーだろ?
見《み》たコトねーだろ?
え〜〜〜? 本当《ほんとう》にそんなのあるんですかあ?
しらばっくれんじゃねえ
あるじゃねえかここに!!
うわあっ
あはははっ
やだなあ
もう

盛《も》り上《あ》がってんな
一歩《いっぽ》のヤツ‥‥
くっくっくっ
ちょれえもンよ
ところでよ このアト どうするよ
全席個室
テーブル席
このままじゃ 鷹村《たかむら》さんのバカ話《ばなし》が 永遠《えいえん》に続《つづ》いちまうぞ
早《はえ》えとこ ツーショットに 持《も》ち込《こ》まねえとな‥‥
好《この》みが重《かさ》なって 取《と》り合《あ》いになったら 鷹村《あのひと》さん腕力《わんりょく》で くるぜ
まかせとけって 公平《こうへい》にいこうぜ
ゲームの スコア順《じゅん》に 決《き》めようじゃねえか!
わあ〜〜っ ボウリングなんて 久《ひさ》し振《ぶ》りぃ
オレ達《たち》もっスよ 練習《れんしゅう》練習《れんしゅう》の 毎日《まいにち》でしたからね!!
ゴロゴロゴロ

男子《だんし》諸君《しょくん》はわかってますね
恨《うら》みっこ無《な》しですよ
スコアのいい順《じゅん》に好《この》みのコを誘《さそ》う・・・・と
な なんですかそれ!?
冗談《じょうだん》じゃねえオレぁのらねえぞ!!
あ逃《に》げるんですか?
鷹村《たかむら》さんらしくないなあ
く・・・・っ
上等《じょうとう》だぜ
何《なに》が公平《こうへい》だ幹事《かんじ》やるって言《い》い出《だ》したワケが今《いま》わかったぜ
は?
非常口
青木《ヤロオ》のボウリングの腕《うで》はハンパじゃねえんだよ
ノーミスの青《あお》ちゃんて呼《よ》ばれてたくらいだ
どこまで対抗《たいこう》できるかわからねえが
やるしかねえな
お前《まえ》もがんばれよ
ビリになったら地獄《じごく》を見《み》るぜ

間違《まちが》いなくババをひくコトになる!!
そ そんなバカな・・・・
お前《まえ》のアベレージは？
やったコトないんですよ
ぐ
よしっ!!
あ
ゴロゴロ
ゴロゴロゴロ
ゴロゴロゴロ
18
パタ
パタ
パタ
パタ
パタ
18
パタン……

キャ——ッ やったあ♡
すご——い 久美《くみ》ちゃん上手《じょうず》なのね——っ
か…… かわいい
!!
ズットライーク!!
うおっしゃああっ!!
う うわあ
ぬおおお
ドゴォーン

パカーン
よっしゃ!!
さ 3人《にん》とも ストライクだ
ボクも 続《つづ》かなきゃ
キュッ
む……
おっ
それっ!!
ド
ぎゃはははははは
……
ゴロゴロ
ゴロゴロゴロ
ゴロゴロ

はじめの一歩

Round《ラウンド》 172 怖《こわ》いお兄《にい》さん

よっしゃ
脱落決定《だつらくけってい》!!
地獄《じごく》へ落《お》ちろ!!
3
G
快調《かいちょう》に飛《と》ばす青木《あおき》――
ぷう
まあまあかな
4
5
87
116
ゴロゴロ
ゴロゴロゴロ
ゴロゴロ・・・
大接戦《だいせっせん》の2位《い》争《あらそ》い
青木《あおき》に追《お》いつくのはムリだ
2位《い》はゆずらねえぞ
――しかし後半《こうはん》にきて息《いき》をふき返《かえ》す男《おとこ》がいた
カコーン
わあ
初《はじ》めてストライクだよ
はいはい
おめでと――
ゴン
ドコ
パカァーン

3連続《れんぞく》だあ
コレってターキーって言《い》うんですよね？
なかなかやるじゃんかよオ
わあ4連続《れんぞく》だあ
一歩《いっぽ》くんスゴイじゃない
なんとなくコツが・・・・
しゅぱっ
マ マジかよ
そういやあいつの腕力《わんりょく》と手首《リスト》の強《つよ》さは並《なみ》じゃねえからな
カポーン！
・・・・・・
ご5連続《れんぞく》か！オレがぶっちぎりの215点《てん》で2人《ふたり》が同着《どうちゃく》の155点《てん》
——てコトは

一歩《いっぽ》が最後《さいご》に3ピン以上《いじょう》とれば……
逆転《ぎゃくてん》だ！
……
わーーーい
がんばろっと
キュッ
キュッ
キュッ
ちっのどかなツラしやがって
てめえの一投《とう》でオレ達《たち》の地獄《じごく》行きがきまるってのに
よっしゃ逆転《ぎゃくてん》KO《ケーオー》だ!!
いいやあ
がんばれ一歩《いっぽ》くん
幕之内《まくのうち》さんがんばって
よよ〜〜し
はずせ〜〜〜
はずせ〜〜〜
……

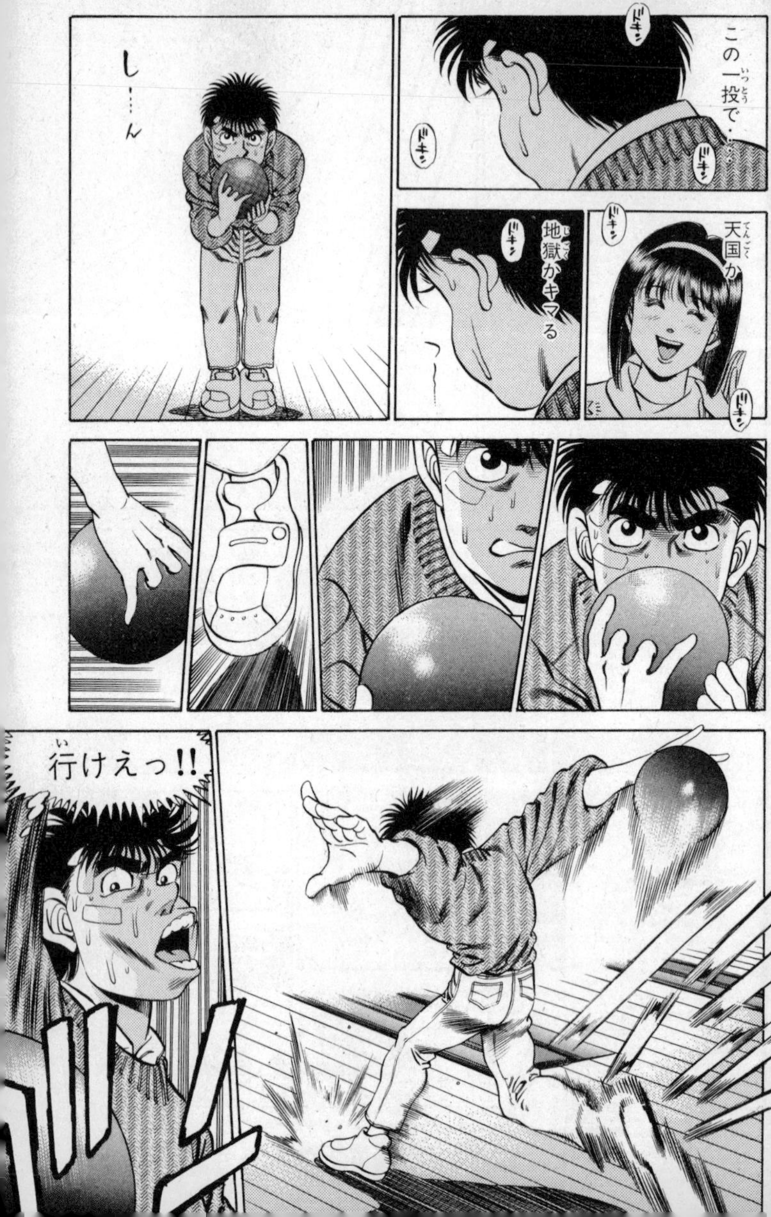
ドキン
この一投《いっとう》で・・・
ドキン
ドキン
ドキン
天国《てんごく》か
ドキン
ドキン
地獄《じごく》かキマる
し・・・ん
行《い》けえっ!!

……
ドゴン
ゴロゴロ
ゴロゴロ
へなへなへな
やった〜〜っ
重圧《プレッシャー》に負《ま》けたか
ーというワケで この私《わたくし》めから 女《おんな》のコを誘《さそ》わせていただきます
くそが〜〜
んじゃ 声《こえ》かけてくるわ
れーコさんか…!?
メグミか!?
くるっ

こ このアト ひまスか?
え――? 何《なん》ですかあ 突然《とつぜん》〜〜〜
アイツの趣味《しゅみ》が マニアックだってコト 忘《わす》れてたぜ
ボウリングの 意味《いみ》がねえ じゃんか
ほ〜〜
今日《きょう》は 楽《たの》しかったあ
いやぁ 盛《も》り上《あ》がり ましたねぇ
オレ達《たち》ゃこれから カラオケ行《い》くぞ
お前《まえ》ら どうするよ?
こっちの2人《ふたり》 明日《あした》 早《はや》いらしいから オレ達《たち》送《おく》って 行《い》きますよ
ごめーん また 今度《こんど》ね

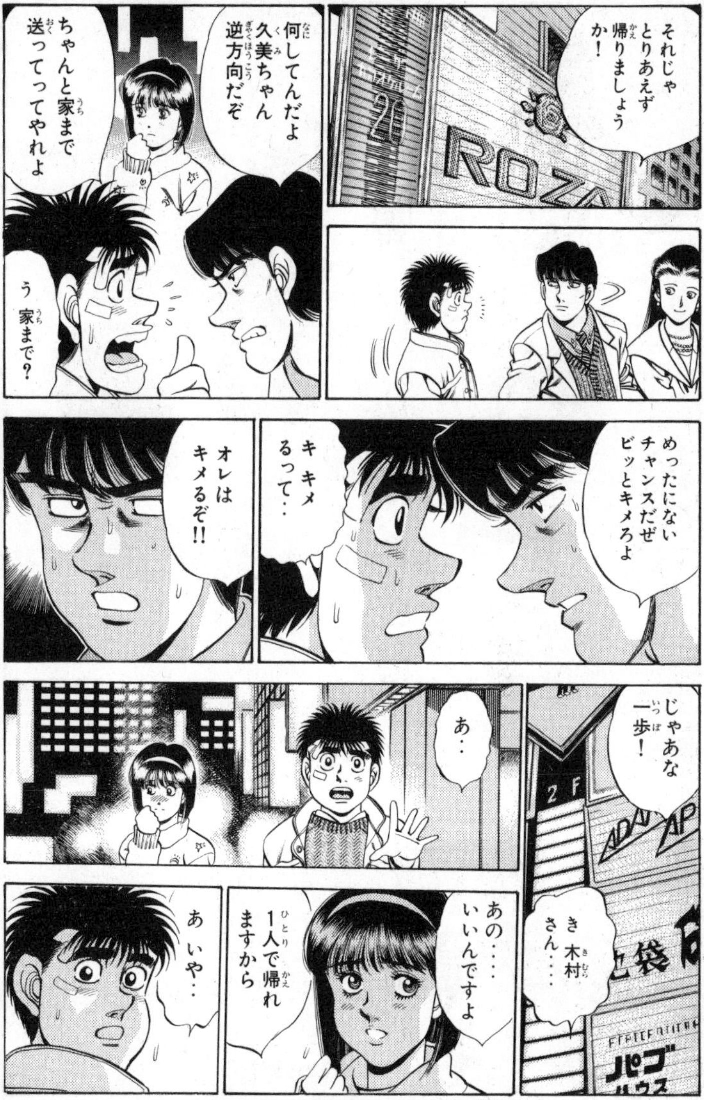
それじゃ とりあえず 帰《かえ》りましょうか！
何《なに》してんだよ 久美《くみ》ちゃん 逆方向《ぎゃくほうこう》だぞ
ちゃんと家《うち》まで送《おく》ってってやれよ
う 家《うち》まで？
めったにない チャンスだぜ ビッとキメろよ
キ キメるって・・
オレは キメるぞ!!
じゃあな 一歩《いっぽ》！
あ・・
き 木村《きむら》さん・・・・
あの・・・・ いいんですよ
1人《ひとり》で帰《かえ》れますから
あ いや・・

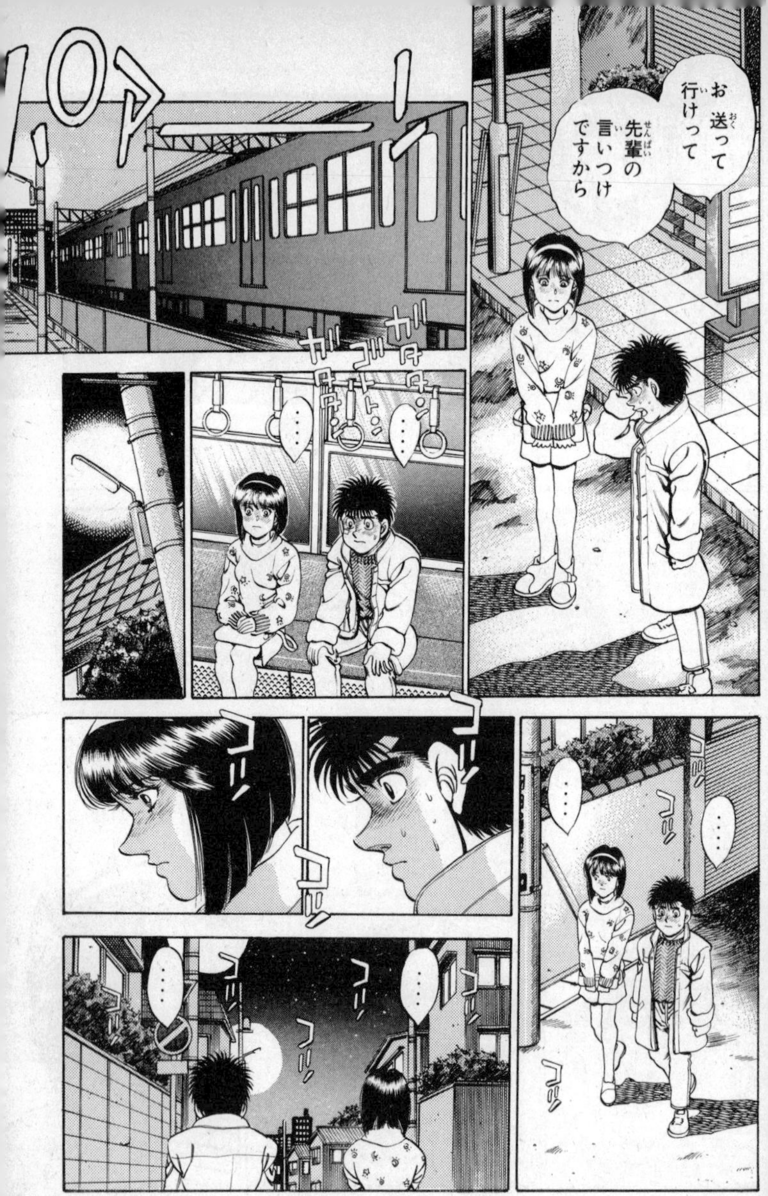
パアーー
お送《おく》って行《い》けって先輩《せんぱい》の言《い》いつけですから
ガタタン
ゴトトン
ガタタン
……
……
コツ
コツ
コツ
……
……
コツ
コツ
……
……
コツ
コツ
コツ
コツ

ちら…
あの……
は はい!?
た 退屈《たいくつ》だろうなあ ボクなんかと一緒《いっしょ》じゃ
木村《きむら》さんや青木《あおき》さんだったらきっと上手《じょうず》に女《おんな》のコを笑《わら》わせてるんだろうなあ
この辺《あた》りって夜《よる》になると人通《ひとどお》り少《すく》ないし暗《くら》いから
本当《ほんとう》は1人《ひとり》だと少《すこ》し心細《こころぼそ》いんです
こんな時《とき》ボクサーの人《ひと》と一緒《いっしょ》なんて
すごく頼《たの》もしいなぁ……って
た 頼《たの》もしいって……
ボ ボクがですか?
……
かあ～～

な なんか
なんか気《き》のきいたセリフないかな
どうも
ありがとうございます
家《うち》……ここですから
あ
そうですか
すっ
それじゃ
すっ
おやすみなさい
すっ
こんなもンさ
こんなもンさ
ん……
あの……よかったら
寄《よ》っていきませんか？
え!?

よ 寄《よ》っていくって確《たし》か‥‥
ドキ ドキ ドキ ドキ ドキ
久美《くみ》さんち両親《りょうしん》いないんじゃ‥‥
もう兄《にい》さん帰《かえ》ってきてる頃《ころ》だし
久《ひさ》しぶりに会《あ》っていって下《くだ》さい
お兄《にい》さんを忘《わす》れてた‥‥
でも恥《は》ずかしいな
エヘヘ
幕之内《まくのうち》さんの写真飾《しゃしんかざ》ってあるんですよォ
え‥‥
ボ ボクの写真《しゃしん》‥‥
ドキン
おはよう一歩《いっぽ》くん♡
お おじゃまします
ドキ ドキ ドキ ドキ
そんなラブコメパターンが‥‥
ドキ ドキ ドキ
あるわけ‥‥
ドキ ドキ ドキ ドキ ドキ

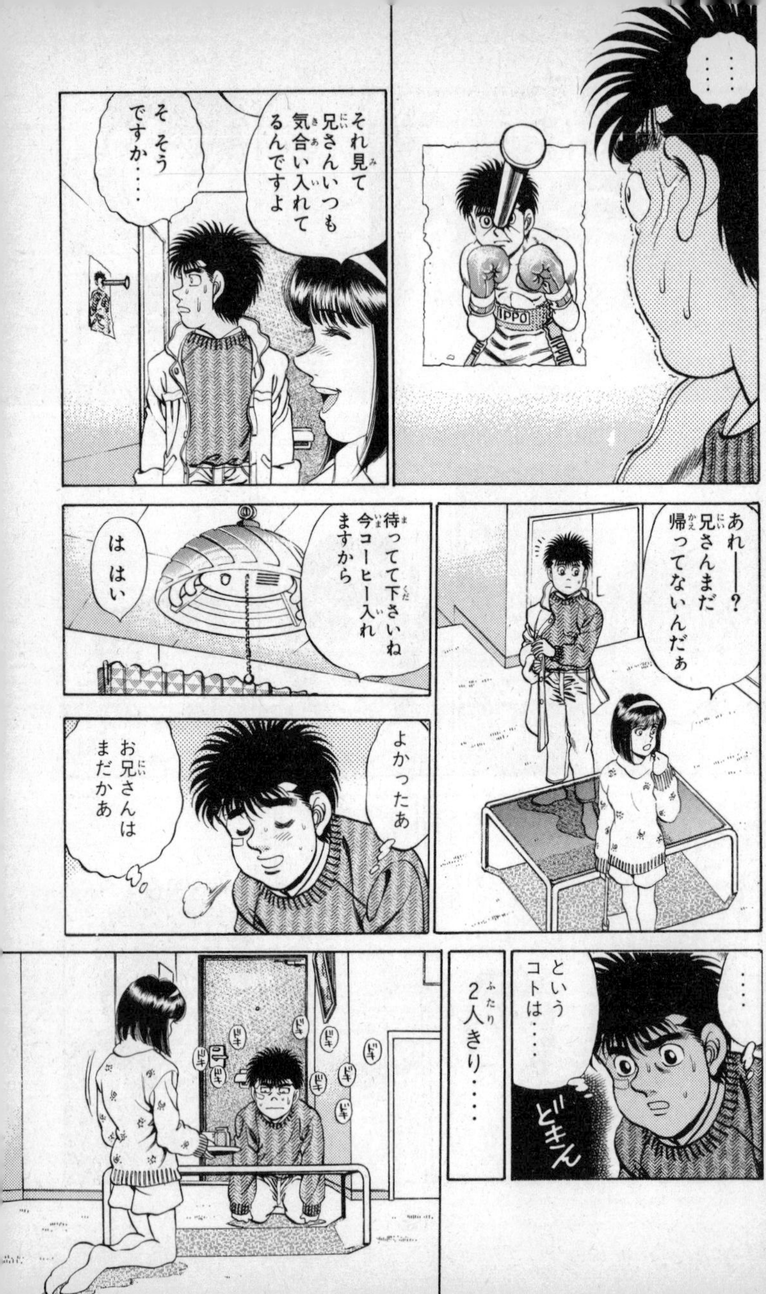
・・・・・・
IPPO
それ見《み》て兄《にい》さんいつも気《き》合《あ》い入《い》れてるんですよ
そ そうですか・・・・
あれ━━? 兄《にい》さんまだ帰《かえ》ってないんだぁ
待《ま》ってて下《くだ》さいね今《いま》コーヒー入《い》れますから
は はい
よかったあ
お兄《にい》さんはまだかあ
・・・・
というコトは・・・・
2人《ふたり》きり・・・・
どきん
ドキ
ドキ
ドキ
ドキ
ドキ
ドキ
ドキ
ドキ
ドキ

いくつですか?
え?
あ
19歳《さい》です!!
あ——ん やだもォ
あははははははは
幕之内《まくのうち》さん おもしろ——い
さ 砂糖《さとう》の数《かず》だったのか
でもウケたぞ
笑《わら》うとメチャクチャかわいいなあ
ビッとキメろよ
ブル…
キ キメるっていったって
どうやって
——!?
まともに話《はな》すの今日《きょう》が初《はじ》めてなのに
ブル
ブル
ブル
ブル
ブル
ブル
どうしたんですか?
何《なに》かへんですよォ
ドキ!!

もしかしてぇ
あ
う
ドキ
ドキ
兄《にい》さんに会《あ》うの怖《こわ》いんじゃ・・・・
いいえっ
そんなんじゃ・・・・
兄《にい》さん顔《かお》が怖《こわ》いから誤解《ごかい》されやすいんですよ
本当《ほんとう》はすごくやさしい人《ひと》なんだけど
そ そうですよね あは・・・・
何《なに》かゴマかしてるみたい・・・・
じ・・・・
あ いや
ドキドキ
あっお帰《かえ》りなさい兄《にい》さん!!
・・・・
なーんちゃって
ホラ
やっぱり怖《こわ》がってるゥ
あははは
いいや ホント
怖《こわ》がってないですから・・・・

そーですよね
試合《しあい》勝《か》ってるし
いやもう一度《ど》
やったら
どうなるか
間柴《ましば》さんの
フリッカーは
スゴイです
からね
新人王《しんじんおう》の時《とき》も
アレを完璧《かんぺき》に
攻略《こうりゃく》したワケじゃ
なかったし
間柴《ましば》さんも
スピードアップ
してるだろうし
逆《ぎゃく》に今《いま》のボクが
どこまで通《つう》じるか
楽《たの》しみではあるけど
ぐっ
‥‥なんて
ちょっと調子《ちょうし》に
のっちゃいまし
たね‥‥
のりすぎ
だ!
す すいません!!
申《もう》し訳《わけ》
ありま
せん!!

楽《たの》しみだと?
なんなら今《いま》ここでやったろうか?
・・・・・・
と とんでもないです!!
もう帰《かえ》りますから!! おじゃましましたあっ!!
も～～～っ
お兄《にい》ちゃんのコト待《ま》ってたのよォ
ぽかん
そうは見《み》えなかったぞ
はあっ はあっ
はあっ はあっ
あ～～～っ ビックリした
はあ はあ はあ
今日《きょう》はもう早《はや》く帰《かえ》って寝《ね》よう!!
はあ はあ はあ
この時間《じかん》じゃタクシーかあ
どこで拾《ひろ》えばいいんだろ
キョロ
キョロ
あ!
あっちですか? ど――も・・・・
すいっ

・・・・
ボ ボク何《なに》も悪《わる》いコトしてませんから
ホントに何《なに》もしてませんから
なんだよ そりゃ
ちっ 話《はなし》くらいと思《おも》ったんだが
もういいよ
え・・・・?
今度《こんど》ぁお互《たが》いタイトルマッチだな
オレは奪《と》るぜ! てめえも・・・・
あ・・・・
も もしかして激励《げきれい》してくれてるんじゃ・・・・

勘違《かんちが》いすんなよ
あくまで……てめえをブチ殺《ころ》すのはオレだってことよ
かぁー
ペッ
すたーん
すたーん
すたーん
じゃあな
……
そうだ……
次《つぎ》はタイトルマッチなんだ!
ここんとこボクシングから遠《とお》ざかってたし
キュッ
そろそろ……
体《からだ》を動《うご》かさなきゃ!!

はじめの一歩

チチチ…
チュン
チュン
釣り船 幕
TEL
チュン
チュン
ぐっ
ぐっ
ぷうっ

はっ
はっ
はっ
はっ
はっ
シッ
シッ
シッ
シッ

はじめの一歩《いっぽ》
THE FIGHTING!
Round《ラウンド》 173
カーニバル
・・・・
以《い》前《ぜん》とまだ「感じ《フィーリング》」が違《ちが》う・・・
トーン
トーン
リズム感《かん》が戻《もど》ってないのかな
いずれにしても5日《いつか》間《かん》の休養《きゅうよう》じゃダメージと疲《つか》れがとれてないんだ
あせらず徐々《じょじょ》に感《かん》じをとり戻《もど》さなきゃ・・・
タッ
タッ
タッ

鴨川ボク
う～～ん
なんか久《ひさ》しぶりって感《かん》じだな
パァーーン
!
ガララ
いい音《おと》させてるなあ
・・・・誰《だれ》だろ？
パパァーン
おう一歩《いっぽ》か！
いいのかよ
ドクターストップ中《ちゅう》じゃねえのか？
少《すこ》しずつならと思《おも》って
木村《きむら》さんもハリキってますね
ハリキってる？
そう見《み》えるか？

ええ だって
こんなに早《はや》い時間《じかん》なのに
もうサンドバッグ
叩《たた》いてるし
キュッ
ちえっ
態度《たいど》に
でちまうたあ
オレも若《わか》いぜ
ん‥‥
何《なに》かいいコト
あったんです
か？
あーーっ
もしかして
昨夜《さくや》あのアト
れーコさんと
‥‥
何《なに》も
ねえって!!
ただよ
今度《こんど》のオレの試合《しあい》
応援《おうえん》にきてくれるっ
て‥‥
トーナメント
負《ま》けちまって
タイトルマッチ
フイにしちまって
なんか
宙《ちゅう》ぶらりん
だったんだよ
再起戦《さいきせん》
がんばって
ね♡
とりあえず
ハリを見《み》つけ
たっつうか
やる気《き》になったたっ
つうか‥‥
ドスッ
ドスッ

いいヒトだよな れーコさん
今回《こんかい》わりと本気《マジ》みてーだよ オレ・・・・
ドス
ドス
ドス
あ・・・・と
ドキ ドキ
な なんか
それって いい話《はなし》ですね!
鷹村《たかむら》さんには内緒《ないしょ》だぜ からかわれたくねえから
台無《だいな》しにされちゃいますからね
お前《まえ》の方《ほう》はどうだった?
うまくいったか?
う うまくいっただなんて 別《べつ》に何《なに》も狙《ねら》ってなかったですから
家《いえ》に入《はい》った時《とき》はちょっとドキドキしましたけど・・・・
なんだよちゃっかりおいしいコトやってんじゃねえか
そ そんなんじゃないんですよ 間柴《ましば》さんが帰《かえ》ってきちゃって
え・・・・

・・・・と
まあそういうわけで・・・・
いくらかわいいコでもあのお兄《にい》ちゃんがいちゃあ
わはは
手《て》は出《だ》せねえわな
しかしお前《まえ》お兄《にい》ちゃんにKO《ケーオー》勝《が》ちしてんだぜ
ビビるこたねえじゃんか
て 手《て》ェ出《だ》すつもりなんかなかったし
べ 別《べつ》にビビったワケじゃないですよ
ただちょっと突然《とつぜん》だったから驚《おどろ》いただけで
心《こころ》の準備《じゅんび》さえあればですね
わかったわかった
ぎくっ
心《こころ》の準備《じゅんび》があればなんだって?
・・・・

心《こころ》の準備《じゅんび》があればあ〜〜〜
な〜〜〜んだってえ〜〜〜？
ぶら〜〜ーリ
ぶら〜〜ーリ
・・・・
はいはい
似《に》てます似《に》てます
パチパチパチパチ
LOCKEY
ったく
2人《ふたり》してうかれた話《はなし》しやがって
鷹村《たかむら》さんの方《ほう》はどうだったんスか？
ばかたれ！すぐに解散《かいさん》したよ
青木《あおき》は調子《ちょうし》くれて飲《の》みに行《い》っちまったけどな
LOCKEY
え？冗談《じょうだん》でしょ？鷹村《たかむら》さんがすぐ帰《かえ》るなんて・・・・
わかってねえなあ
A級《きゅう》トーナメントが終《お》わったら次《つぎ》に何《なに》がある
ギロリ
あ！

そうだ！チャンピオンカーニバルだ!!
トーナメントを勝《か》ち抜《ぬ》いた最強《さいきょう》の挑戦者《チャレンジャー》が決《き》まった！
めき
最強《さいきょう》の挑戦者《チャレンジャー》には最強《さいきょう》の王者《チャンピオン》として立《た》ちはだかるのが礼儀《れいぎ》よ
すでに国内《こくない》にオレ様《さま》を脅《おびや》かす男《おとこ》がいるとは思《おも》えねえ
——だが気《き》は抜《ぬ》かねえ
ベルトは誰《だれ》にも渡《わた》さねえ!!
おっと……
うわあ
すごい気迫《きはく》だ
普段《ふだん》おちゃらけてるけどやっぱりボクシングのコトとなるとこの人《ひと》はスゴイ!!
ちょっとうかれてた
あの姿勢《しせい》は見習《みなら》わなきゃ……

いいセリフじゃ！
ようやく王者《チャンピオン》の自覚《じかく》ができたようじゃな
会長《じじい》！
小僧《こぞう》退院《たいいん》したのか
ギロリ
おかげ様《さま》で体《からだ》の方《ほう》は良《よ》くなりました
今日《きょう》からまたよろしくお願《ねが》いします!!
あれだけの戦《たたか》いのアトじゃまだ無理《むり》をするな
とりあえず少《すこ》しずつ体《からだ》を動《うご》かせばええ
——と悠長《ゆうちょう》なコトを言《い》ってはおれんがな・・・
年明《としあ》けから開催《かいさい》されるチャンピオンカーニバルの
日程《にってい》が決《き》まった!!
ミドル級《きゅう》は1月末《がつすえ》
フェザー級《きゅう》は2月中旬《がつちゅうじゅん》

鷹村《たかむら》はランキング1位《い》の最強《さいきょう》の挑戦者《チャレンジャー》を迎《むか》え
小僧《こぞう》は最強《さいきょう》の挑戦者《チャレンジャー》としてリングに立《た》つ!!
鷹村《たかむら》!! 久《ひさ》しぶりの試合《しあい》じゃがかなりの強敵《きょうてき》じゃ!!
間違《まちが》ってもベルトを渡《わた》すなよ!!
ふん‥‥
小僧《こぞう》!!
誰《だれ》にモノ言《い》ってんだあ——?
は はいっ

あの チャンピオンは 強《つよ》い!
日本《にほん》が輩出《はいしゅつ》した フェザー級《きゅう》の チャンプの中《なか》でも 屈指《くっし》の男《おとこ》だ
……
ゴク……
じゃがの 胸《むね》を借《か》りる つもりなど ないぞ
戦《や》るからには 勝《か》ちにいく!
キサマとて 強豪《きょうごう》をおしのけ はい上《あ》がってきた 挑戦者《チャレンジャー》じゃ!
ランキング1位《い》の 自覚《じかく》と 誇《プライド》りをもって リングに上《あ》がれ!!
はいっ!!
ぐラ
キュッ
LOCKEY

う～～しっ 景気《けいき》良《よ》く いこうぜ 一歩《いっぽ》!!
オレは守《まも》る お前《まえ》は奪《と》る！ 祭り《カーニバル》が終《お》われば 鴨川《かもがわ》ジムにも ベルトが２本《ほん》だ
鴨川ボクシングジム
しっかり ついて こいよ!!
が がんばり ます!!
オレを忘《わす》れないで 下《くだ》さいよ
きっちり 再起《さいき》して すぐ上狙《うえねら》い ますから
ふん
おっしゃ てめえら まとめて ついて きやがれ!!
ウス！
はいっ
ポン
よく 言《い》った
いいセリフ じゃ
ポン
ポン
む・・・・

王者《チャンピオン》としての そしてジム頭《がしら》としての 自覚《じかく》が言《い》わせてるのよ
頼《たの》もしい 王者《おうじゃ》に育《そだ》った のう
褒美《ほうび》にコレを くれてやる
今日《きょう》発売《はつばい》の「プライデー」じゃねえか
ええもんが 載《の》っとる わい
PRIDAY
おおっ このアイドル 脱《ぬ》いだのか！
確《たし》かに いいもン 載《の》って ますね
次《つぎ》のページ なんぞ 生《なま》ツバもン じゃぞ
こ〜〜の エロじじい
ペラリ
ドキドキしちまう じゃねえかよォ
ゴクリ

日本ミドル級チャンピオン
深夜のアッパー空振り
HOTEL ホテル
HOTEL
日本ミドル級王者
鷹村守(23)さん
連れ込み失敗
ホテル目前で逆転
KO負け——!!
育《そだ》ちよったな
スケベ大王《だいおう》に!!
さてと‥‥
ぱたん
「さてと」じゃないわ!!
キサマ脳《のう》ミソくさっとるだろう!?
頭蓋骨《ずがいこつ》カチ割《わ》ってくれるわあっ
ガッ
ガッ
ガッ
ガッ
‥‥

こういうのってよ本《ほん》に載《の》せる前《まえ》に本人《ほんにん》とかに許可《きょか》とりにくんじゃねえのかよ!?
ワシが許可《きょか》した!!
見《み》せしめじゃあ
これでしばらくキサマを見《み》ただけで女《おんな》は逃《に》げていくわ
く……
くそじじい～～っ
アイアムチャンピオン!!
スキャンダルなんざ有名人《ゆうめいじん》の証拠《しょうこ》よ!
よけいオレ様《さま》についてくる人間《にんげん》が増《ふ》えちまうってもんだぜ!!
すたすた
すたすた
すた
……
一瞬《いっしゅん》でもついて行《い》こうと思《おも》った自分《じぶん》が恥《は》ずかしいぜ
絶対《ぜったい》見習《みなら》うもんか!
ドキ!
笑《わら》えよ

オレぁ どーせ ウソつきでスケベ大王《だいおう》だよ 脳《のう》ミソくさってるよ
ねち ねち ねち
いーーんだよ 笑《わら》っちゃって 遠慮《えんりょ》すんなよォ
タチ悪《わる》イなあ この男《おとこ》はあ 一歩《いっぽ》! 話題《わだい》変《か》えろよ
ぼそ ぼそ
ぼそ ぼそ
そ そんなコト 言《い》ったたって
ぼそ ぼそ
ん〜〜〜? どうしたのォ 笑《わら》わないのォ?
う・・・・
あ 青木《あおき》さんは どうしてるんですかね?
ん
うまい!
青木《あおき》くんか〜〜〜っ!!
どうせアイツもフラれて部屋《へや》で泣《な》いてるにキマってんだ さっそく電話《でんわ》してみんなで笑《わら》ってやろうぜ
がははは
あ 悪趣味《あくしゅみ》ですよォ
しようがねえなあ
鴨川ボクシングジム
なんでボクが電話《でんわ》かけなきゃいけないの 言《い》わなきゃよかった
ピ ポ ピ

しかしアイツだけうまくいってたら笑《わら》えないスね
あの女《おんな》と？そっちの方《ほう》が笑《わら》えるぜ
もしもし？あれ？
ど どうもすみませんでした
あれえ？青木《あおき》さんて一人暮《ひとりぐ》らしでしたよね
女《おんな》の人《ひと》が出《で》たから‥‥
間違《まちが》い電話《でんわ》かよ
オレ様《さま》がかけ直《なお》してやる
トウルルルル
トウルルルル
カチャ
おう青木《あおき》か!?
オレだ！
ちょ ちょっとお待《ま》ち下《くだ》さいね
え‥‥
ねえ青木《あおき》くん
「オレ」って言《い》ってるわよねえ起《お》きてよ
どさっ

じょ 状況《じょうきょう》から いって泊《と》まった みたいスね あの女《ひと》‥‥
と 泊《と》まったって 青木《あおき》さんの 部屋《へや》に‥‥!?
‥‥
‥‥
‥‥
もしもし 青木《あおき》です けど
あれ?
もしも——し
さてと‥‥
練習《れんしゅう》始《はじ》め ますか‥‥
‥‥

はじめの一歩

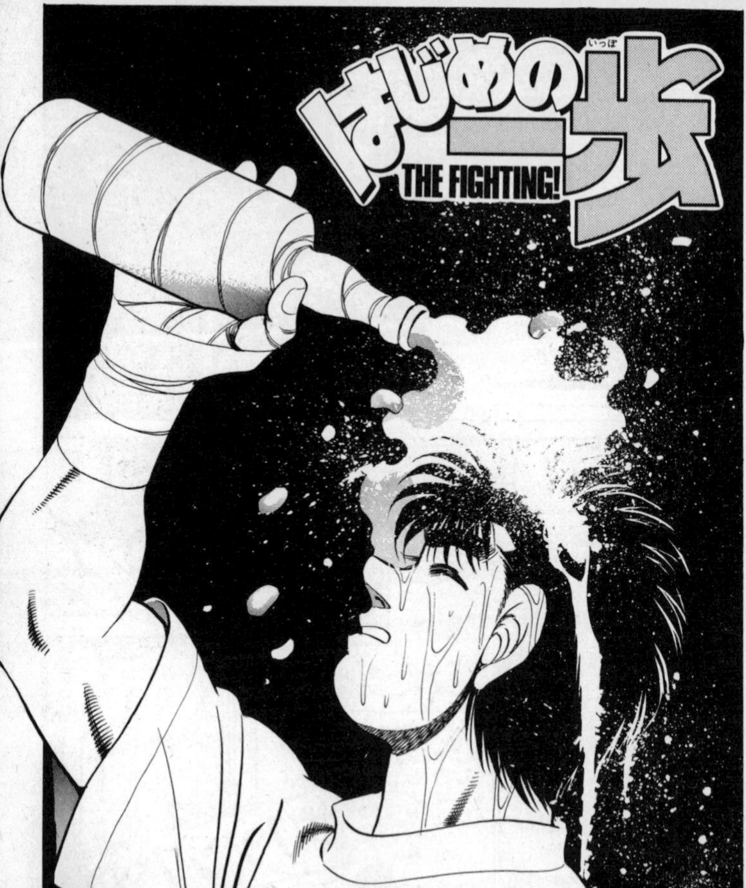

Round《ラウンド》 174 疼《うず》きだした刻印《こくいん》

はあっ
はあっ
はあっ
はあっ
はあっ
はあっ
おう
ごくろう
は―
は―
は―
は―
はあっ
はあっ
はあっ
3984
ボクシング
マスクか
久《ひさ》しぶりだな
その姿《すがた》で
走《はし》るのは
今度《こんど》の相手《あいて》は
スタミナの化《ば》け物《もの》
みたいなヤツ
だからな
体力《たいりょく》がなきゃ
打《う》ち負《ま》けるのは
目《め》に見《み》えてるよ
は―
は―
は―

マスクつけて ダッシュすりゃあ 酸素《さんそ》の摂取量《せっしゅりょう》は 激減《げきげん》する
心臓《しんぞう》に負担《ふたん》が かかってスタミナは つく
しかし 年《とし》を考《かんが》えろよ 無理《むり》はいかんぞ
大人《おとな》になったと 言《い》ってくれ 自己制御《セルフコントロール》は 上手《うま》くなった方《ほう》さ
スパーリング パートナーは?
用意《ようい》 できとるぞ
注文通《ちゅうもんどお》りライト級《きゅう》 J《ジュニア》ウエルター級《きゅう》の ランカー達《たち》だ
ヘッドギアは?
いらねえ
おいおい 2階級《かいきゅう》以上《いじょう》 上《うえ》のパンチだぜ
もらったら アトに響《ひび》くぞ
ガラッ
ウォーース
・・・・
それくらいの 緊張感《きんちょうかん》が ねえとな
ESP
RIT

伊達《だて》さん スパーですか
相手《あいて》ずいぶん デカいスね
幕之内《まくのうち》の破壊力《はかいりょく》を想定《そうてい》したんだろうが・・・
伊達《だて》はずいぶん幕之内《まくのうち》の評価《ひょうか》を高《たか》くつけてるんだな
入《い》れ込《こ》み方《かた》がハンパじゃない
アマチュアの世界王者《せかいおうじゃ》に勝《か》ってますからね
並《なみ》の日本《にほん》チャンピオンクラスはけちらしますよ
パンチももらうしダウンもするから穴《あな》があるように思《おも》えますけど
オレに言《い》わせりゃ逆《ぎゃく》に世間《せけん》の評価《ひょうか》が低《ひく》いですよ
攻撃力《こうげきりょく》だけとすれば世界《せかい》に通用《つうよう》しますよ
ほう
いや・・・・負《ま》けたから言《い》う訳《わけ》じゃないスけどね
オレも幕之内《まくのうち》にはかなり高《たか》い点《てん》つけてるよ
危険《きけん》な相手《あいて》だと思《おも》う
・・・だが
伊達《だて》はもっとスゲエ

ヤツは天才《てんさい》だ
軽々《かるがる》しく使《つか》う言葉《ことば》じゃないコトはわかっている
だが初《はじ》めて会《あ》った時《とき》に思《おも》ったよ
「器《うつわ》」が違《ちが》う——と
天才《てんさい》ですか確《たし》かに・・・・
いや お前達《まえたち》は知《し》らん
ヤツにまだヒゲの無《な》い頃《ころ》の話《はなし》さ
6年《ねん》も前《まえ》のコトだ
世界挑戦《せかいちょうせん》した頃《ころ》ですね
ヤツもオレも誰《だれ》とやっても負《ま》ける気《き》がしなかった
世界《せかい》タイトルマッチが決《き》まった頃《ころ》はもうベルトをもらった気《き》でいた
世界タイト
RLD
ERWEIGH
CHAMPIO

衰《おとろ》えて いるんですか? その頃《ころ》より
年《とし》にゃあ 勝《か》てんさ
29歳《さい》…ヤツも 現役最古参《げんえきさいこさん》の 1人《ひとり》よ…
ボクサーの 全盛期《ピーク》は あまりに 短《みじか》い
衰《おとろ》えて 当然《とうぜん》だ
ところが
近頃《ちかごろ》6年前《ねんまえ》の 姿《すがた》とダブって 見《み》えるように なってきた
ヤツは本気《ほんき》で 全盛期《ピーク》を取《と》り 戻《もど》す気《き》だよ
ちょっと信《しん》じ られないスね
2階級上《かいきゅううえ》のランカーを めった打《う》ちにしてる この姿《すがた》がまだ 本物《ほんもの》じゃないなんて
ズバーン
それじゃ もし―
取《と》り戻《もど》し たら…
そうだな
取《と》り戻《もど》したと したら…

敵《てき》ながら気《き》の毒《どく》だよ
幕《まく》之《の》内《うち》が ――
ドスン……
ズキン
……
ズキン
ズキン
ズキン

はっ
はっ
はっ
ブン
グルン
キュッ
キュッ
キュッ
おーーっ エンジンかかってきたな
いやあ ただやみくもに叩《たた》いてるだけで
イメージができてないんですよ こう攻《せ》めようとか
ギシ
ギシ
こうきたらこう出《で》ようとか
今日《きょう》 鷹村《たかむら》さんち行《い》っていいですか？ ビデオ借《か》りたくて
オッサンの試合《しあい》ならお前《まえ》も持《も》ってんだろ？

とりあえず揃《そろ》ってるんですけど復帰後《ふっきご》のヤツしかないんですよ
ホラ 伊達《だて》さんて23歳《さい》で1回《かい》引退《いんたい》してるでしょ? その頃《ころ》の・・・・
は～～ん オッサンが世界挑戦《せかいちょうせん》して負《ま》けた時《とき》の試合《しあい》が観《み》てえんだな?
残念《ざんねん》ながらビデオは無《ね》えぞ
海外《かいがい》の試合《しあい》だったし負《ま》け試合《じあい》だったから放映《ほうえい》されなかったんだよ
鴨川ボクシングジム
はあ どんなに観《み》ても弱点《じゃくてん》なんか見当《みあ》たらないし
20戦中唯一《せんちゅうゆいいつ》の黒星《くろぼし》の試合《しあい》になら何《なに》かあるかと
そ そうなんですか
雑誌《ざっし》ならあったかな
なんせ6年前《ねんまえ》の本《ほん》だからな
押《お》し入《い》れの奥《おく》の方《ほう》に・・・・
太田荘
さ 探《さが》します・・・・
見《み》せて下《くだ》さい!!

え――と
え――と
確《たし》か冬《ふゆ》の試合《しあい》じゃなかったっけなあ
ふ 冬《ふゆ》ですね
とすると12月号《がつごう》か1月《がつ》か2月《がつ》・・・
ボクシングファン
あ コレ 伊達《だて》さんが載《の》ってる
月刊ボクシングファン 8 1986
こっちは日本《にほん》タイトルとった時《とき》のだ
うわあ若《わか》い!! この頃《ころ》はヒゲも鼻《はな》のキズも無《な》かったんだ
日本フェザー級タイトルマッチ
伊達英二6戦目でタイトル奪取
!
あった!
伊達英二メキシコに散る
カオサイ盤石のKO防衛
レナード キャ
コレだ!!

天才児 無残・・・・
◎世界フェザー級タイトルマッチ
鮮血の伊達英二 2Rで夢砕かれる
EIJI
WBA世界フェザー級のチャンピオン
リカルド・マルチネス(メキシコ＝56.8キロ)は
2月15日、メキシコシティに日本の誇る同級3位
伊達英二(仲代＝56.5キロ)を迎えタイトルマッチ
12回戦を行い2回1分12秒TKOで初防衛に
成功した。 伊達は1回に1度、2回に2度の
ダウン。なす術なくマットに沈んだ。世界の壁を
痛感させられた内容だった。

EIJI
世界フェザー級タイトル
伊達英二　2Rで夢砕かれる
……
バ……
バカな……
あの伊達《だて》さんが
2R《ラウンド》1分《ぷん》12秒《びょう》
たった2R《ラウンド》で
TKO《ティーケーオー》負《ま》け
なんて……
月刊 ボクシングファン
相手《あいて》が悪《わる》かったっ
ていやあ
それまでだが
そのチャンピオンは
いまだに連続防衛中《れんぞくぼうえいちゅう》の
怪物王者《かいぶつおうじゃ》だからな
だがその頃《ころ》のオッサンは
相手《あいて》がそんなタマだとは
さらさら思《おも》っちゃいねえ
「東洋《とうよう》に敵無《てきな》し」の
肩書《かたが》きで意気揚々《いきようよう》と
メキシコに乗《の》り込《こ》んだ
ところが
フタをあけてみりゃ
リングに立《た》っていたのが
4分少々《ぷんしょうしょう》
おまけに血《ち》まみれ

ショックだったんだろうなあ
それ以来《いらい》約《やく》4年間《ねんかん》
ボクサー伊達英二《だてえいじ》はリングから姿《すがた》を消《け》したんだ
ぽいっ
・・・・
・・・・
なんか参考《さんこう》になったか?
ん?
い いやあっけにとられちゃって
ボクから見《み》れば伊達《だて》さんだって怪物《かいぶつ》なのにその人《ひと》に2R《ラウンド》KO《ケーオー》なんて・・・・
まあお前《まえ》はラッキーだぜ
6年前《ねんまえ》すぐに再起《さいき》してりゃ世界《せかい》のベルトを巻《ま》いてたかもしれねえ
オッサンにはそれほどの才能《さいのう》と実力《ちから》があったからな
衰《おとろ》えている・・・と?
もう29歳《さい》だからなあ年《とし》にゃあ勝《か》てねえよ
そうでしょうか・・・?

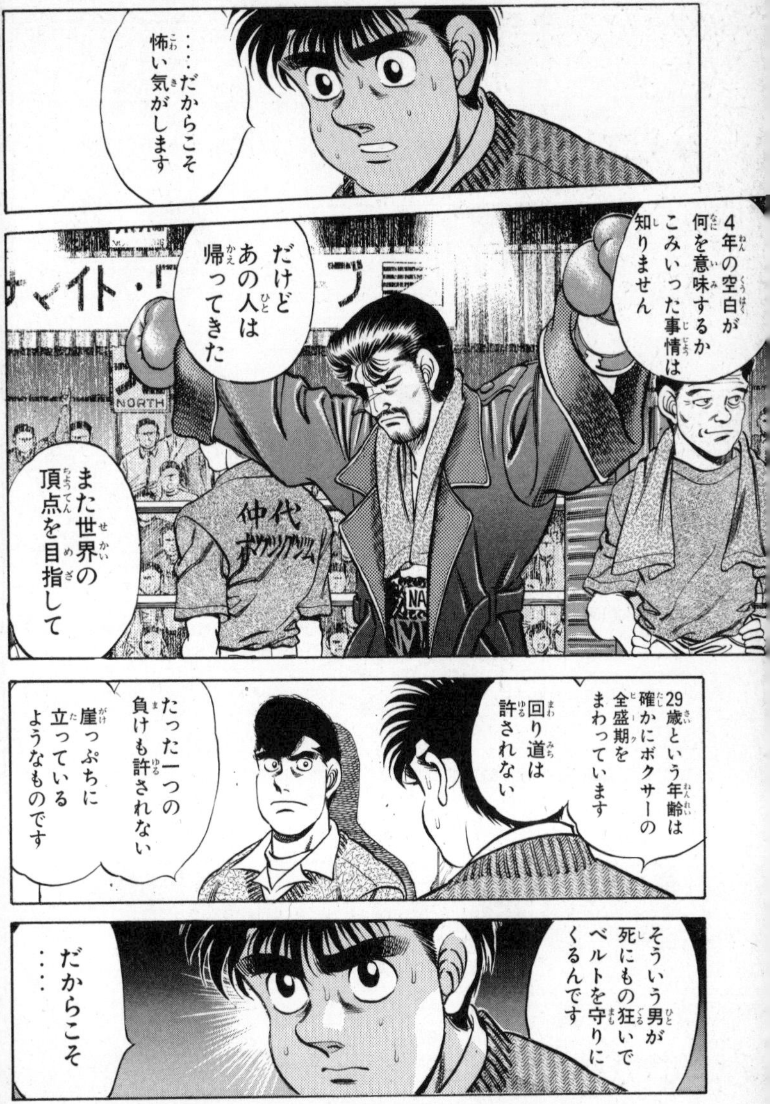

……だからこそ怖《こわ》い気《き》がします
4年《ねん》の空白《くうはく》が何《なに》を意味《いみ》するかこみいった事情《じじょう》は知《し》りません
だけどあの人《ひと》は帰《かえ》ってきた
NORTH
仲代ボクシングジム
また世界《せかい》の頂点《ちょうてん》を目指《めざ》して
29歳《さい》という年齢《ねんれい》は確《たし》かにボクサーの全盛期《ピーク》をまわっています
回《まわ》り道《みち》は許《ゆる》されない
たった一つの負《ま》けも許《ゆる》されない
崖《がけ》っぷちに立《た》っているようなものです
そういう男《ひと》が死《し》にもの狂《ぐる》いでベルトを守《まも》りにくるんです
だからこそ……

さっ
さっ
さっ
帰《かえ》んのか?
はは はい
今日《きょう》はありがとうございました
お前《まえ》の言《い》う通《とお》りだ
ある意味《いみ》じゃ現在《いま》の伊達《だて》英二《えいじ》は——
全盛期《ピーク》より強《つえ》え!!
……
どう戦《たたか》う?

…やっぱり伊達《だて》さんには弱点《じゃくてん》なんか無《な》いし…
作戦《さくせん》なんかたてようがありません
ただ伊達《だて》さんとのタイトルマッチを目標《もくひょう》にしてきたから
ガチャ
今《いま》までやってきたコト全部《ぜんぶ》…
全部《ぜんぶ》出《だ》しきろうと思《おも》います
ボクは挑戦者《ちょうせんしゃ》ですから

おやすみなさい
パタン
のそり
・・・・
はっ
はっ
はっ
新人王《しんじんおう》でやってきたコト
A級《きゅう》トーナメントでやってきたコト
今《いま》までのコト——全部《ぜんぶ》!
全部《ぜんぶ》出《だ》すだけだ!!

仲代ボクシング
まだいたのか?
ジム閉《し》めるぞ
あ
ああ
ピシャ
今年《ことし》は冷《ひ》えるな
こういう時《とき》やあ
汗《あせ》が出《で》ねえから
減量《げんりょう》たまらんなあ
まあお前《まえ》ほど
節制《せっせい》してりゃ
問題《もんだい》はねえよ
真冬《まふゆ》に
日本《にほん》を発《た》って
着《つ》いてみりゃ
真夏《まなつ》だったっけ

・・・・
コツ
コツ
メキシコか・・・・
この時期《じき》どうしても思《おも》い出《だ》しちまうよな
思《おも》い出《だ》したくないさ だけど寒《さむ》くなると疼《うず》くんだよ
この鼻《はな》の刻印《こくいん》が疼《うず》いて疼《うず》いて・・・・
どうしようもなく思《おも》い出《だ》させる
全《すべ》てを失《うしな》ったあの日《ひ》のコトを・・・・

はじめの一歩

はじめの一歩《いっぽ》 THE FIGHTING!

伊達英二《だてえいじ》(29)

右《みぎ》ボクサーファイター
19歳《さい》でプロデビュー
６戦目《せんめ》 日本《にほん》フェザー級《きゅう》
タイトル獲得《かくとく》 ４度防衛後《どぼうえいご》
11戦目《せんめ》でＯＰＢＦ(東洋太平洋《とうようたいへいよう》)
タイトル獲得《かくとく》
14戦目《せんめ》23歳《さい》で世界挑戦《せかいちょうせん》
失敗《しっぱい》── 引退《いんたい》
26歳《さい》で再起《さいき》 復帰後《ふっきご》２戦目《せんめ》
日本《にほん》タイトルを再冠《さいかん》
現在《げんざい》４度防衛中《どぼうえいちゅう》
20戦《せん》19勝《しょう》15ＫＯ《ケーオー》１敗《ぱい》

Round《ラウンド》 175 メキシコの悪夢《あくむ》

この鼻《はな》の刻印《こくいん》が
どうしようもなく思《おも》い出《だ》させるんだ
全《すべ》てを失《うしな》った あの日《ひ》のコトを‥‥
‥‥言葉《ことば》が無《ね》えよ
あのよ 言《い》い出《だ》しづらいんだけどよ
合宿《キャンプ》の件《けん》‥‥
‥‥もう少《すこ》し考《かんが》えさせてくれ
家《いえ》を離《はな》れるのは今《いま》イチ気《き》が進《すす》まないんだ
そうか
愛子《あいこ》さん元気《げんき》か？
ああ
雄次《ゆうじ》も大《おお》きくなったよ
たまには遊《あそ》びにきてくれよ
ピシャ

・・・・
刻印《こくいん》か・・・・
あの鼻《はな》の傷《きず》は文字《もじ》通《どお》り刻《きざ》み込《こ》まれたものだ
痛《いた》みと記憶《きおく》か・・・・
忘《わす》れようにも忘《わす》れられるものじゃない
あの傷《きず》には6年前《ねんまえ》のあの日《ひ》の記憶《きおく》が鮮烈《せんれつ》に刻《きざ》み込《こ》まれているのだ
6年前《ねんまえ》の・・・・
━━茨城県《いばらきけん》大洗《おおあらい》ゴルフコース
はっ
はっ
はっ
はっ
はっ

はっ
はっ
はっ
マスクの効果《こうか》はどうだ
はあっ はあっ
き きついぜ でもよ メキシコは空気《くうき》が薄《うす》いからな
このくらい心臓《しんぞう》いじめとかねえと
あのよ このへんに電話《でんわ》ねえか 電話《でんわ》？
きょろ きょろ
またかよ さっきかけたばかりじゃんか
愛妻《あいさい》の声《こえ》聞《き》かねえと練習《れんしゅう》に身《み》が入《はい》らねえか？
ちがーよ
アイツはアレで病弱《びょうじゃく》だからよ
腹《はら》の子《こ》のコトもあるしやっぱ気《き》になるんだよ
日本《にほん》チャンピオンて肩書《かたが》きだけじゃ生活苦《せいかつくる》しいからな
良家《りょうけ》の出《で》のお嬢様《じょうさま》なのに明《あか》るくがんばってるよな
ああ

アイツには苦労《くろう》かけちまった
お前《まえ》のコト信《しん》じてんだよ
応《こた》えてやれよ
世界獲《せかいと》りゃあ愛子《あいこ》さんにだって少《すこ》しは楽《らく》させられる
生《う》まれてくる子供《こども》だって胸張《むねは》って抱《だ》けるぜ
…ああ胸《むね》を張《は》れる!
祝福《しゅくふく》された結婚《けっこん》じゃなかった
これでみんなが認《みと》めてくれる世間《せけん》もアイツの親《おや》も——
オヤッさんオレァやるぜ!
必《かなら》ず世界《せかい》チャンピオンになってみせる!!

2・20 メキシコシティ アステカ・スタジアム
すげえ 騒《さわ》ぎだな 周《まわ》り中《じゅう》 みんな敵《てき》って ヤツだぜ
へへ しかし 逆《ぎゃく》を言《い》やあ 相手《あいて》も地元《じもと》での 初防衛戦《はつぼうえいせん》だ プレッシャーは ある
精神的《せいしんてき》には 五分《ごぶ》と五分《ごぶ》よ
減量《げんりょう》も順調《じゅんちょう》だった 体調《たいちょう》も万全《ばんぜん》だ 肉体的《にくたいてき》な問題《もんだい》は ない
負《ま》けるもんか 負《ま》けるもんかよ なあ伊達《だて》！

落《お》ち着《つ》いて くれよオヤッさん 雰《ふん》囲《い》気《き》に のまれてるぜ
このヤロー 大《たい》したヤツだ
しっかり 開《ひら》き直《なお》って やがる
これなら 存《ぞん》分《ぶん》に 力《ちから》を出《だ》せる
・・・・と
日《に》本《ほん》を発《た》つ時《とき》 空《くう》港《こう》で愛《あい》子《こ》に 電《でん》話《わ》をかけたんだ
絶《ぜっ》対《たい》勝《か》ってこいって いわれるもンだと 思《おも》ってたよ
ところが 勝《か》っても負《ま》けても 無《ぶ》事《じ》に帰《かえ》って 来《き》てくれって ・・・

何《なに》より ヤル気《き》になる 言葉《ことば》だぜ
死《し》んでも 日本《にほん》に持《も》ち 帰《かえ》ってやる
ギリッ
・・・アレを――!!
ゴクリ
よォし 行《い》ってこい 伊達《だて》!!
自分《じぶん》のため!!
NAKADAI

女房《にょうぼう》のため!!
子供《こども》のため!!
勝《か》つんだ!!
ぐっ

ONO
EIJI
NAKADAI

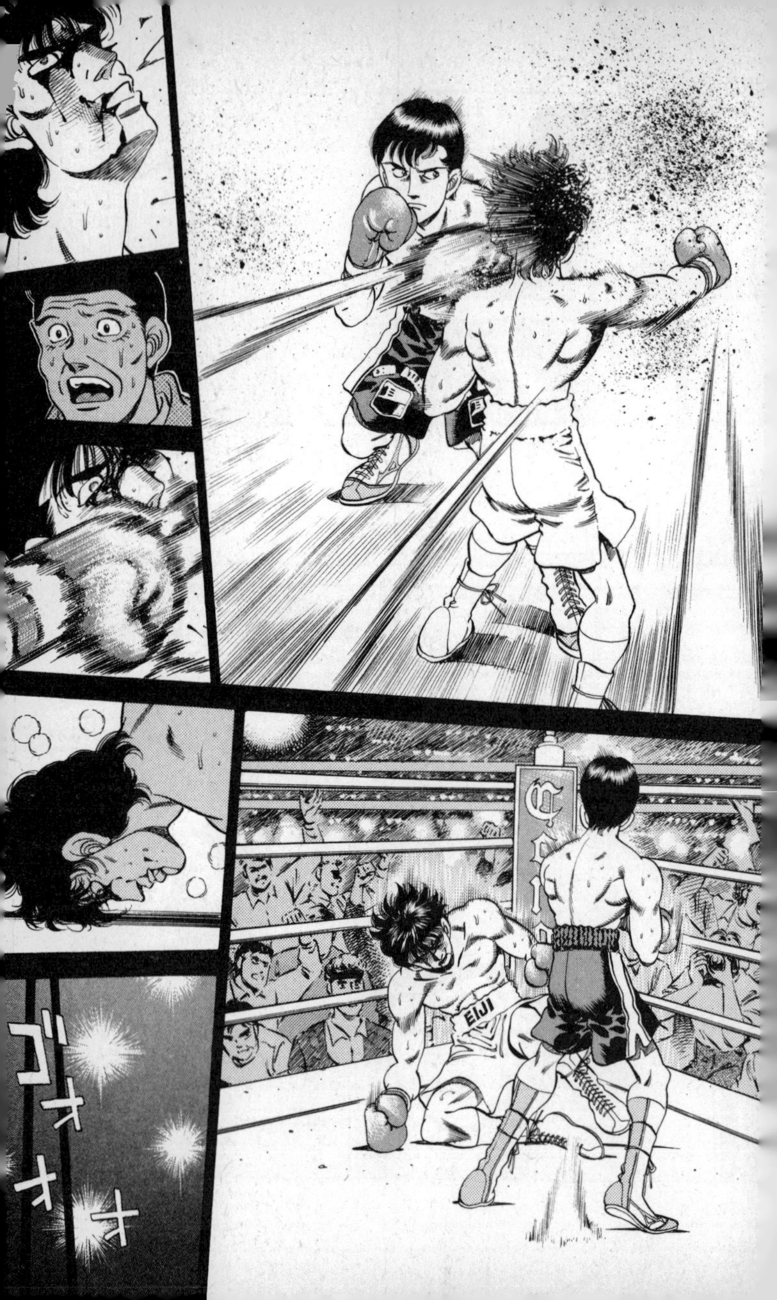
EIJI
ゴォォォ

折《お》れた
鼻《はな》の骨《ほね》は
くっつく
だろうが
ゴォオオオ
傷《きず》は
残《のこ》ってしまう
かもな
それにしても
すげえアッパー
だったな
ボクシングの
次元《じげん》が違《ちが》った
……
何《なに》もできないまま
終《お》わっちまった
一番《いちばん》ショックな
負《ま》け方《かた》だ
元気《げんき》出《だ》せ！
お前《まえ》はまだ若《わか》い
またはい上《あが》れば
いいさ！
チャンスは
必《かなら》ず巡《めぐ》って
くる
今度《こんど》は日本《にほん》で
タイトルマッチ
だ!!
……
愛子《あいこ》に
会《あ》いてぇ
なあ……
ぼそ…
うん
そうだ！
元気《げんき》づけて
もらえ！
うん!!
出直《でなお》しだ——

石川病院
内
外
整形外
小児
眼
婦人
歯
泌
皮
過労《かろう》からきた貧血《ひんけつ》で階段《かいだん》で倒《たお》れたそうです
打《う》ちどころが悪《わる》かった
幸《さいわ》い母体《ぼたい》は助《たす》かりましたが胎児《たいじ》の方《ほう》は……

な なんで連絡《れんらく》してくれなかったんだ!?
こんなコトなら試合《しあい》キャンセルしてでも飛《と》んで帰《かえ》ってきたのに
・・・・
連絡《れんらく》するなと本人《ほんにん》に強《つよ》く言《い》われましてね・・・・
本《ほん》・・・・・
だ 伊達《だて》・・・・
キィ・・・・

パタ…
それ以来《いらい》
プロボクサー
伊達英二《だてえいじ》は
リングから
姿《すがた》を消《け》した
左《ひだり》が
甘《あま》いってんだよ
左《ひだり》が!!
仲代ボクシン
練習生募集
サンバード
スキー・テニス
のみこみ悪《わり》ィなあ
こうだ こう!!
おかんむり
ですね
記者《きしゃ》さん
か!
見《み》ての通《とお》りだよ
今度《こんど》の日本《にほん》タイトル
勝《か》ち目無《めな》しって
書《か》いてくれよ
はっは
まあそう
言《い》わずに
仲代《なかだい》ジムじゃ
あの伊達英二《だてえいじ》以来《いらい》
久々《ひさびさ》のタイトルマッチ
じゃないですか
伊達《だて》か….

アレほどの素材《そざい》にゃもう巡《めぐ》り合《あ》えねえだろうなあ
惜《お》しまれますよね
ああ
才能《さいのう》豊《ゆた》かで努力家《どりょくか》で何《なに》よりボクシングが好《す》きだった
一度《ど》の挫折《ざせつ》で檜《ひのき》舞台《ぶたい》から去《さ》る男《おとこ》じゃなかった
日本《にほん》フェザー級《きゅう》チャンピオン
伊達《だて》　英二《えいじ》
引退《いんたい》して3年《ねん》か‥‥まだやれるんじゃないですか?
戻《もど》っちゃこねーよ
風《かぜ》の便《たよ》りに聞《き》いたんだけどよ仕事《しごと》も成功《せいこう》して新《あたら》しく子供《こども》ができたらしい
幸《しあわ》せにやってんだよ
オレもホッとしてるよ
アイツにはいい夢《ゆめ》見《み》せてもらったよ
今《いま》幸《しあわ》せなら何《なに》よりだ
もうこの世界《せかい》にアイツをつき合《あ》わせちゃいけねえよ

パパ――
おーーっ 雄二《ゆうじ》! まだ起《お》きてたのかあ
パパが帰《かえ》ってくるまで寝《ね》ないってがんばっちゃって
はっはっ しょうがねえな
よっしゃ 特別《とくべつ》に絵本《えほん》読《よ》んでやるぞ
ピッコロ ドンピョンは やめて〜〜
ジャジャ丸《まる》は降参《こうさん》しました
トン
トン
トン
・・・・
そ〜〜〜
やっと寝《ね》たよ
お疲《つか》れ様《さま》
愛子《あいこ》 昇進《しょうしん》の話《はなし》な どうやら本決《ほんぎ》まりらしいぞ
我《わ》が社始《しゃはじ》まって以来《いらい》のスピード出世《しゅっせ》だって

サラリーマンも結構《けっこう》やりがいあるもンだな
うん！
どした？
喜《よろこ》んでくれないの？
ううん 嬉《うれ》しいわ
おめでとう アナタ
……
ああ……
……
はあ
はあ
はあ
……
はあ
はあ
はあ

——またあの夢《ゆめ》だ——
オレが世界《せかい》チャンピオンベルトを巻《ま》いている
リング上《じょう》で子供《こども》を抱《だ》き上《あ》げている
雄二《ゆうじ》じゃない
ズキン
ズキン
ズキン
生《う》まれなかった……
いないハズの子《こ》を……
……

はじめの一歩

はじめの一歩《いっぽ》
THE FIGHTING!

Round《ラウンド》 176 俺《おれ》が俺《おれ》であるために

カタン……
……
珍《めずら》しいわね お酒《さけ》なんて
ああ 寝《ね》つけなくてな
キミもどうだ?
うん
なつかしいわ
まだ現役《げんえき》で アナタが勝《か》った時《とき》 少《すこ》しだけ 2人《ふたり》でこうして飲《の》んだよね

ああ
楽《たの》しかったな
あの頃《ころ》……
カラ
カラ
今《いま》は？
……幸《しあわ》せよ
アナタは以前《まえ》よりよく笑《わら》ってくれるようになったし……
……
そうか……
カラン……
いってらっしゃい♡
おお
……
幸《しあわ》せよ
これでいい……
これでいいんだ

ジャクリン
英二《えいじ》くん
昇進《しょうしん》が正式《せいしき》に
決《き》まったぞ
明日《あす》にでも
言《い》い渡《わた》される
だろう
本当《ほんとう》によく
がんばったね
ありがとう
ございます
義兄《にい》さんには
世話《せわ》になりっ
放《ぱな》しで・・・・
カラン
最初《さいしょ》は不安《ふあん》
だったよ
殴《なぐ》り合《あ》いが商売《しょうばい》の
キミにサラリーマン
勤《つと》まるのかってね
しかし
よく働《はたら》いた
社内《しゃない》の評判《ひょうばん》も
いいし何《なに》より
愛子《あいこ》も喜《よろこ》んでる
だろ?
ええ・・・・
そうだろうね
ボクサーといえば
聞《き》こえはいいが
生活《せいかつ》の安定《あんてい》も
ないからね
キミも所帯持《しょたいも》ち
なんだし そのへん
キチンとしないとね

・・・・
ええ
どうした?
いえ・・・・少《すこ》し酔《よ》っちまいましたね
少《すこ》しだけ・・・・
ズキン
ズキン
ズキン
ズキン
ズキン
ガゴン
引退《いんたい》して全《すべ》てがうまくいっている
緩《おだ》やかな日《ひ》が続《つづ》く・・・・
はあ
はあ
はあ
ガラ
ガラ
ガラ
ゴッ
・・・・
〜〜〜っ
だけど・・・・

生《い》きてる気《き》がしねえよ・・・
おかえりなさい
遅《おそ》かったのね
水《みず》くれ!
ドサッ
ふーーーっ
・・・・・・
〜〜っ
どどうしたの?
それどうするつもり?
捨《す》てる

だってそれ
大切《たいせつ》な
トロフィーや
記念品《きねんひん》じゃない
ダッ
必要《ひつよう》ないんだよっ
もう必要《ひつよう》ない
いやよ捨《す》てないで!!
愛子《あいこ》‥‥
アナタに必要《ひつよう》なくても
私《わたし》にはあるわ
大切《たいせつ》な想《おも》い出《で》だもの
だから必要《ひつよう》ないだろ
オレはもう
いつだってそばにいるし
想《おも》い出《で》なんかなくても
そばに
‥‥いる?
そうさ
キミだって幸《しあわ》せって言《い》ってくれたろう
アナタ気《き》づいてないの?
?

アナタは3年前《ねんまえ》
メキシコに行《い》ったまま帰《かえ》ってきていないわ
新《あたら》しい仕事《しごと》に就《つ》いて私達《わたしたち》のために よく働《はたら》いてくれた
雄二《ゆうじ》が生《う》まれて幸《しあわ》せで穏《おだ》やかな日《ひ》が続《つづ》いたわ
だけどアナタがいないの
自信《じしん》に満《み》ちてエネルギーの塊《かたまり》だった伊達英二《だてえいじ》は
あの日《ひ》メキシコに行《い》ったままなのよ!!
愛《あい》・・・・子《こ》
今《いま》のままでいいの?

このまま月日《つきひ》が経《た》てば
世間《まわり》の人《ひと》はアナタがボクサーだったコトを忘《わす》れていくわ
だけどアナタだけ忘《わす》れられない
夢《ゆめ》をあきらめて全部《ぜんぶ》忘《わす》れたふりをして過《す》ごしていくのよ
いいんだよ それで！
キッ
雄二《ゆうじ》は‥‥
本当《ほんとう》の父親《ちちおや》の姿《すがた》を知《し》らないまま育《そだ》つのね？
ぎくりっ
できるコトなら見《み》せてほしい
私《わたし》にも
雄二《ゆうじ》にも‥‥
本当《ほんとう》の‥‥
姿《すがた》だと‥‥？

生《う》まれてこなかったあの子《こ》にも・・・
・・・26歳《さい》か
ギリギリ
間《ま》に合《あ》うかもしれねえな
ぐ…

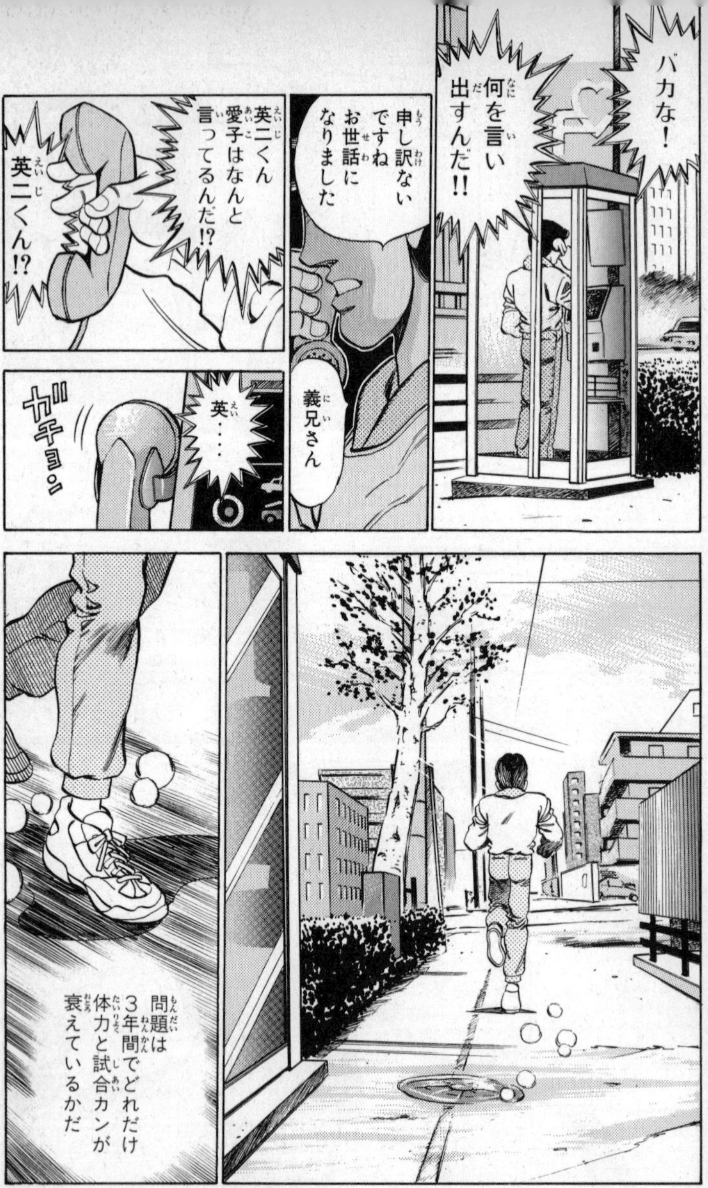
バカな！
何《なに》を言《い》い出《だ》すんだ!!
申《もう》し訳《わけ》ないですね お世話《せわ》になりました
義《に》兄《い》さん
英二《えいじ》くん 愛子《あいこ》はなんと言《い》ってるんだ!?
英二《えいじ》くん!?
英《えい》……
ガチョ。
問題《もんだい》は3年間《ねんかん》でどれだけ体力《たいりょく》と試合《しあい》カンが衰《おとろ》えているかだ

3年《ねん》の空白《くうはく》を埋《う》めるには倍《ばい》の時間《じかん》がかかる
ギッ
ギッ
だが時間《じかん》はない
短期間《たんきかん》で現役《げんえき》の頃《ころ》と同《おな》じ体《からだ》を作《つく》らねばならない
手足《てあし》が重《おも》い
息切《いきぎ》れが激《はげ》しい
しかし苦《く》ではない
今度《こんど》の戦《たたか》いは相手《あいて》を倒《たお》すための戦《たたか》いではない
自分自身《じぶんじしん》への挑戦《ちょうせん》だ
オレがオレであるために!
もう一度《ど》――!!

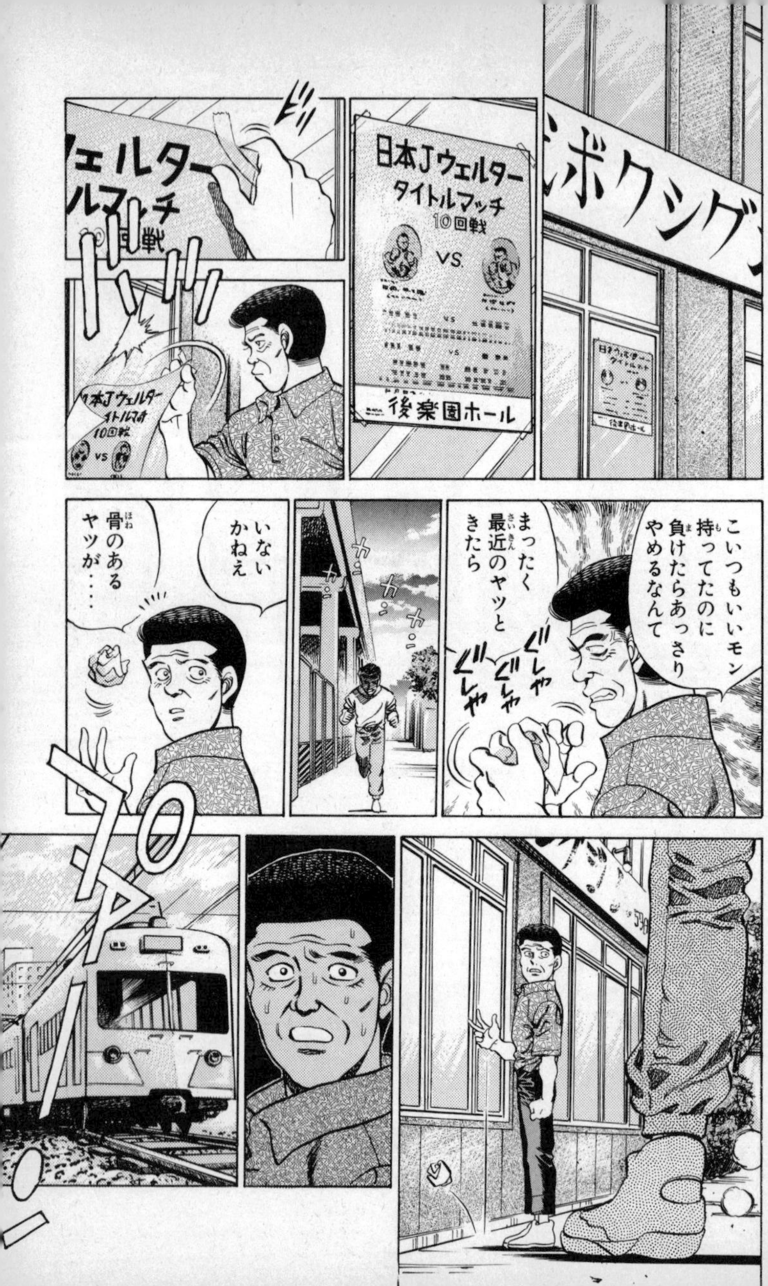
ボクシング
日本Jウェルター
タイトルマッチ
10回戦
VS.
後楽園ホール
ビッ
ウェルター
ルマッチ
戦
日本Jウェルター
タイトルマッチ
10回戦
VS
こいつもいいモン持《も》ってたのに負《ま》けたらあっさりやめるなんて
まったく最近《さいきん》のヤツときたら
ぐしゃ ぐしゃ ぐしゃ
カッ カッ カッ カッ
いないかねえ
骨《ほね》のあるヤツが‥‥

ガタタ…
ガタタ
ガタタ
だ・・・・
伊達《だて》か!?
オヤッさん
また世話《せわ》になるぜ
せ 世話《せわ》になるって
おめえ・・・・

再起《カムバック》だ!!
——復帰後《ふっきご》 2戦目《せんめ》で 日本《にほん》タイトル 獲得《かくとく》
天才児《てんさいじ》は 不屈《ふくつ》の男《おとこ》となって 戻《もど》ってきた
そして現在《げんざい》 そのタイトルを 4度《ど》防衛《ぼうえい》
2か月後《げつご》に 最強《さいきょう》の挑戦者《チャレンジャー》を 迎《むか》える

ワァー
IPPO
強《つよ》いわねえ そのコ
VIVID
わかるか？
ワァー
そりゃ毎晩《まいばん》観《み》せられればね
ワァー
19歳《さい》だっけ？
若《わか》いのねえ
馬力《ばりき》はある
体力《たいりょく》でおされたら ちとやべえかな
会長《かいちょう》さんから こないだお電話《でんわ》あったわよ
合宿《キャンプ》のこと考《かんが》えてくれって
ああ・・・・
その話《はなし》なら 断《ことわ》るつもりだよ
今度《こんど》の試合《しあい》 体力《たいりょく》が勝負《しょうぶ》だって
ジムワークだけで 万全《ばんぜん》にするのは 難《むずか》しいって
大丈夫《だいじょうぶ》さ

家《いえ》を空《あ》けるのが気《き》になるのね？
・・・・
あの時《とき》と違《ちが》うわ
雄二《ゆうじ》も元気《げんき》に育《そだ》ってるし
私《わたし》の体《からだ》だってもう心配《しんぱい》ないし
しかし・・・・
いってらっしゃいアナタ
アナタが帰《かえ》ってきた時《とき》
失《な》くなってるものは もう何《なに》もないから
ああ合宿《キャンプ》の話《はなし》な
OK《オーケー》だ
場所《ばしょ》はあそこがいい

世界《せかい》タイトルの
時《とき》の‥‥
そう茨城《いばらき》の
ゴルフコース
ジャー
カチャ
カチャ
気合《きあ》いを
入《い》れるには
絶好《ぜっこう》の場所《ばしょ》だ
‥‥
カチャ
カチャ
──1月《がつ》中旬《ちゅうじゅん》
茨城《いばらき》──
日本《にほん》フェザー級《きゅう》
チャンピオン
伊達英二《だてえいじ》
第《だい》1次《じ》キャンプに
入《はい》る
時《とき》を同《おな》じくして
──伊豆《いず》

タイトルマッチを控《ひか》える 鷹村《たかむら》
再起《さいき》に備《そな》える
青木《あおき》 木村《きむら》らが
キャンプイン
そして
その中《なか》には
日本《にほん》フェザー級《きゅう》
ランキング1位《い》
幕《まく》之《の》内《うち》一歩《いっぽ》の
姿《すがた》があった
決戦《けっせん》の日《ひ》に
むけて
両者《りょうしゃ》の戦《たたか》いが
静《しず》かに始《はじ》まる

はじめの一歩

チャンピオンカーニバル
全階級《ぜんかいきゅう》にわたりチャンピオンとランキング最高位《さいこうい》の選手《せんしゅ》がタイトルを争《あらそ》う年《ねん》に一度《ど》の祭典《さいてん》である
後楽園ホール5F
日本ミドル級タイトルマッチ
鷹村 守(鴨川)
VS 10回戦
玉置 厚(西川)
鴨川プロモーション
はじめの一歩《いっぽ》
THE FIGHTING!
いけねいけね
計量《けいりょう》が始《はじ》まっちまわあ
ん？
よォ一歩《いっぽ》くん
あ！お早《はよ》うございます藤井《ふじい》さん!!

Round《ラウンド》 177 王様《おうさま》の力《ちから》

ついにチャンピオンカーニバル開始《かいし》だね
自分《じぶん》のはまだ1か月後《げつご》ですけどドキドキしますね
カリーン
しょっぱなは鷹村《たかむら》くんのミドル級《きゅう》だ
いきなり大注目《だいちゅうもく》カードだぜ
相手《あいて》の人《ひと》強《つよ》いって話《はなし》ですけど
6 4で鷹村《チャンピオン》有利《ゆうり》ってトコかな
6 4ですかかなり接近《せっきん》してますね
挑戦者《チャレンジャー》の玉置《たまき》は12戦《せん》12勝《しょう》10KO《ケーオー》無敗《むはい》！
プロアマを通《とお》してダウン経験《けいけん》無《な》しのタフネス
いくら鷹村《たかむら》くんでもこれまでみたいにきれいに倒《たお》すのは難《むずか》しいだろうな
合宿《がっしゅく》でどこまで調子《ちょうし》を上《あ》げてるかできまるだろうな
それならバッチリです
鷹村《たかむら》さん気合《きあ》い入《い》れてガンガン走《はし》ってましたから
そうかあ楽《たの》しみだ
チーン

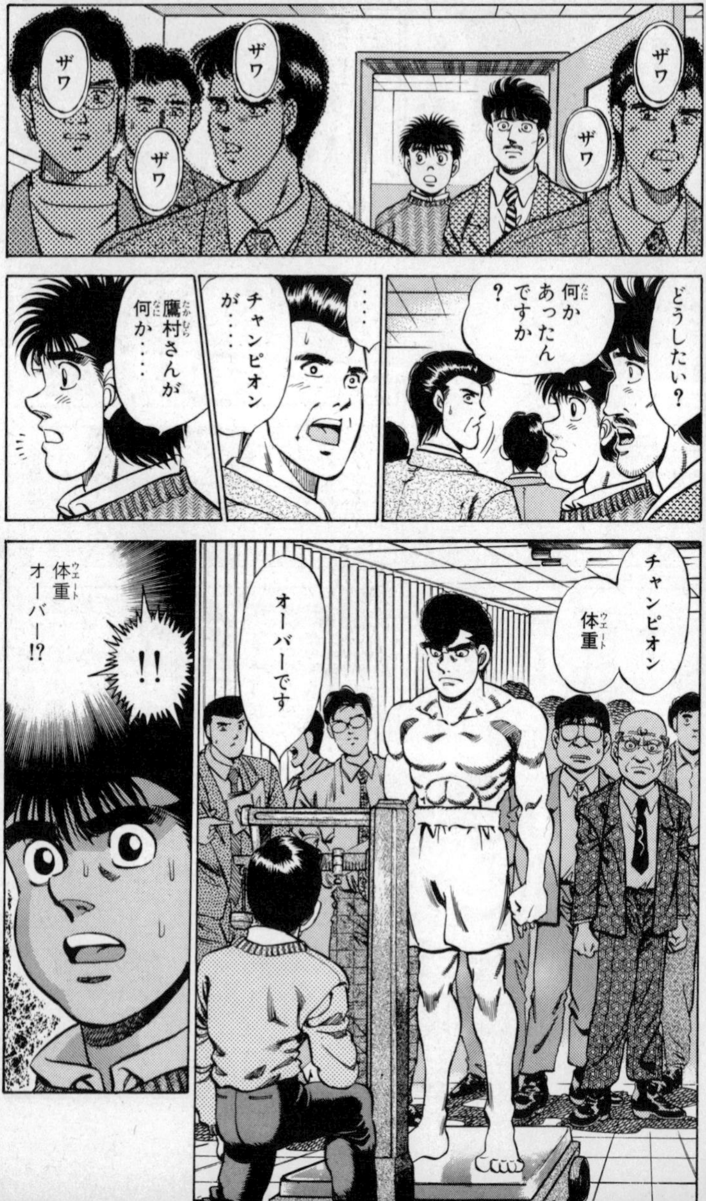
ザワ
ザワ
ザワ
ザワ
ザワ
どうしたい？
何《なに》かあったんですか？
・・・・
チャンピオンが・・・・
鷹村《たかむら》さんが何《なに》か・・・・
チャンピオン体重《ウエート》
オーバーです
!!
体重《ウエート》オーバー!?

そ　そんな
バカな!?
一歩《いっぽ》くん
合宿《がっしゅく》の時《とき》には
順調《じゅんちょう》に落《お》ちてた
じゃないですか
なんで
・・・・
冬場《ふゆば》は
汗《あせ》が出《で》ない
鷹村《たかむら》くんも
過剰《かじょう》なまでに
摂生《せっせい》してきたん
だけど
最後《さいご》の最後《さいご》
たった200g《グラム》が
削《そ》ぎ落《お》とせ
なかった
たった200g《グラム》って
言《い》いますけどね
無理《むり》じゃない
ですか?
肌《はだ》のガサつき
具合《ぐあい》から見《み》て
ギリギリの減量《げんりょう》して
きたみたいだし
そ・・・・
・・・・ふん
再計量《さいけいりょう》は
3時間後《じかんご》
だったな
鷹村《たかむら》・・・・

ちょっくら行《い》ってくらぁ
再計量《さいけいりょう》パスしても短時間《たんじかん》の減量《げんりょう》は地獄《じごく》の苦《くる》しみだ
まともな状態《じょうたい》じゃまずリングに上《あ》がれねぇよ
ベルトはもらったな
・・・・
不本意《ふほんい》ですね
自分《じぶん》はベストのチャンピオンと戦《たたか》いたかった
・・・・
一歩《いっぽ》くん!?
鷹村《たかむら》さん
鷹村《たかむら》さぁん!!
うろたえてついてくんな
みっともねぇ

でも
ですね
ふーーっ
ぐいっ
はあ
はあ
い一滴《いってき》も
汗《あせ》が出《で》て
ない・・・・
モワーーァァ
カサ…
ちっ
つき合《あ》わなくて
いいって
200g《グラム》なんて
軽《かる》いもんなん
だからよ
はあ
はあ
はあ
はあ
か軽《かる》いなんてウソだ
身長《しんちょう》185cm《センチ》の鷹村《たかむら》さんは
ヘビー級《きゅう》なみの体格《たいかく》だ
ミドル級《きゅう》(72・57kg《キログラム》)まで
落《お》とすのは冬《ふゆ》じゃなくとも
無理《むり》があるんだ
・・・・
そう切羽《せっぱ》つまった
ツラすんなよ
こっちまで
辛気《しんき》くさく
なっちまわぁ

すすいません・・・・
なあ一歩《いっぽ》
ランキングっておかしいと思《おも》ったコトねえか?
え・・・・?
だってよ 1位《い》なのにその上《うえ》にチャンピオンがいるんだぜ
1位《い》なのに1番《ばん》じゃないなんておかしいだろ!
なんでだかわかるか?
か 考《かんが》えたコトなかったです
チャンピオンてなあその名《な》の通《とお》り王様《おうさま》なんだよ
特別《とくべつ》なのさ
たとえどんな悪《わる》い状態《じょうたい》でリングに上《あ》がろうが
王様《おうさま》にはそれを補《おぎな》う特別《とくべつ》な力《ちから》が与《あた》えられているんだ
目《め》ェ皿《さら》にしてオレの試合《しあい》を観《み》てろ

王様《チャンピオン》の力《ちから》を
見《み》せてやる!!
は はい!!
王様《おうさま》は
特別《とくべつ》……かあ
……
はっ
た 鷹村《たかむら》さん!!
鷹村《たかむら》守《まもる》
再計量《さいけいりょう》
リミットギリギリ
——合格《パス》
そして——
日本《にほん》ミドル級《きゅう》
タイトルマッチ
ゴングが迫《せま》る

ウォームアップは体《からだ》をほぐす程度《ていど》にせい
試合前《しあいまえ》に余計《よけい》な体力《たいりょく》は使《つか》うな
集中力《しゅうちゅうりょく》はピークまで上《あ》げとけ
ゴングと同時《どうじ》に行《い》くぞ!
・・・・
コクリ・・・
・・・・
チャンピオン時間《じかん》です
ガチャ
む
行《い》くぞ鷹村《たかむら》!!
うしっ
パタン
くっ
鷹村《たかむら》さん!!

!!
だ……
伊達《だて》さん……
……
激励《げきれい》にきたんだが
初《はじ》めてだな
鷹村《アイツ》の試合前《しあいまえ》に
こんな重苦《おもくる》しい
雰囲気《ふんいき》は
は はい
それは……
話《はな》は聞《き》いてる
強敵《きょうてき》に加《くわ》え
減量失敗《げんりょうしっぱい》たあ
さすがの鷹村《たかむら》も
苦《くる》しい試合《しあい》に
なるだろうな
カーニバルの
しょっぱなで
チャンピオンが
コケると
連鎖反応《れんさはんのう》みてえに
王座交代《おうざこうたい》が
相次《あいつ》ぐんだよ
縁起《えんぎ》
悪《わる》いぜ……

え 縁起悪《えんぎわる》い なんてそんな ・・・
大丈夫《だいじょうぶ》です
鷹村《たかむら》さんなら 大丈夫《だいじょうぶ》です
チャンピオンには 特別《とくべつ》な力《ちから》が あるって言《い》って ました!!
きっと 勝《か》ちます!!
特別《とくべつ》な 力《ちから》・・・・
そうか
そんなセリフ 言《い》ってやがったか
ならば 勝《か》つさ
必《かなら》ず!!
まだお前《まえ》には わからんだろうが
王者《チャンピオン》の立場《たちば》を よく理解《りかい》した 言葉《セリフ》だよ

今夜《こんや》の鷹村《たかむら》のパンチは重《おも》い
そしてアイツは絶対《ぜったい》倒《たお》れない!!
そのままオレ達《たち》にもあてはまるぜ
コツン……
お前《まえ》の拳《パンチ》は軽《かる》いんだよ
あれじゃあオレは倒《たお》せねえ
……
カツーン
わからない……
全然《ぜんぜん》……
カツーン
カツーン
意味《いみ》がわからない

鷹村《たかむら》さんの
パンチが重《おも》いのは
納得《なっとく》できる
―でも
うぬぼれてる
ワケじゃないけど
鍛《きた》えに
鍛《きた》えてきた
この拳《こぶし》が
軽《かる》いなんて‥‥
ワア

鷹村《たかむら》またもらったあ〜〜〜っ!!
チャンピオンにいつものキレがない
挑戦者《ちょうせんしゃ》のブローをまともにもらいます
あーーっとロープに詰《つ》まった玉置《たまき》攻勢《こうせい》!!
チャンピオン体《からだ》が動《うご》きません
くっそ〜〜〜っいつもと逆《ぎゃく》の展開《てんかい》だぜ
やっぱり減量《げんりょう》が響《ひび》いてやがる
いや……
あの玉置《たまき》ってヤツ強《つえ》えぞ

あーーっ
何《なに》してやがった
早《はや》く来《き》て
応援《おうえん》しろ!!
やべえよ
初回《しよかい》から
ピンチだよ
え‥‥
玉置《たまき》
左《ひだり》ーーっ
入《はい》ったあ〜〜っ
あーー
鷹村《たかむら》さん!!
ロープ
背負《せお》っちゃ
ダメだ〜〜っ
無理《むり》な減量《げんりょう》で
スタミナがねえから
短期決戦《たんきけっせん》でいきなり
襲《おそ》いかかったんだ
玉置《たまき》は読《よ》んでやがった
カウンターで
すっかりペース
持《も》っていっちまった

チャンピオン
たまらず
ロープから
逃《に》げる
キュッ
キュッ
鷹村《たかむら》さんが
逃《に》げたトコ
なんて初《はじ》めて
見《み》たぜ
なりふりかまって
いられないくらい
調子《ちょうし》悪《わる》いんだ
ああっ
あ〜〜っと
またつかまった
鷹村《たかむら》またもや
ロープを背負《せお》い
ます!!
ピンチの
連続《れんぞく》だ!!
キュッ

玉置《たまき》右《みぎ》——っ!!
東
ブロックしたが上体《じょうたい》が反《そ》り返《かえ》るほどの破壊力《はかいりょく》!!
うわ・・・・
すすげえ右《みぎ》ストレートだな
アレが玉置《たまき》のフィニッシュブローか
言《い》いたかねえが破壊力《はかいりょく》なら鷹村《たかむら》さんと同等《タメ》はるぜ
・・・・・・
アイツは絶対《ぜったい》倒《たお》れない!!
——バカな!!
いくら鷹村《たかむら》さんが打《う》たれ強《づよ》くたって
アレをまともにもらったら・・・

鷹村《たかむら》ロープ際《ぎわ》をイヤがります
挑戦者《ちょうせんしゃ》を追《お》い払《はら》うようにジャブを出《だ》す!!
不用意《ふようい》だ！左《ひだり》ガードが下《さ》がってる
狙《ねら》われる!!
右《みぎ》ストレートォ〜〜〜っ
チャンピオンの首《くび》がねじれたあ〜〜っ

こ こらえた〜〜〜っ!!
チャンピオン もの凄《すご》い形《ぎょう》相《そう》で 仁《に》王《おう》立《だ》ち!!
軽《かる》いんだよ
そ そんな ハズはない!!
なんで立《た》って いられるん だ!?

はじめの一歩

挑戦者《ちょうせんしゃ》の
フィニッシュブロー!!
しかしこらえ
ました!
チャンピオンの
意地《いじ》を見《み》せ
ます!!
はじめの一歩《いっぽ》
THE FIGHTING!

Round《ラウンド》 178 チャンピオンの拳《こぶし》

とんでもない
パンチが確《たし》かに
入《はい》ったのに
立《た》って
いられる
なんて
…
ここで
ゴング!!
挑戦者《ちょうせんしゃ》
優勢《ゆうせい》のまま
第《だい》1R《ラウンド》終了《しゅうりょう》
〜〜〜っ!!

ホールがどよめきます！それもそのはず
チャンピオンの鷹村《たかむら》は今日《きょう》KO《ケーオー》で飾《かざ》れば赤井英和《あかいひでかず》の持《も》つデビュー以来《いらい》12連続《れんぞく》KO《ケーオー》という日本記録《にほんきろく》をぬり替《か》えるのです
ザワザワ
ザワザワ
ザワザワ
しかしあまりに不調《ふちょう》新記録《しんきろく》どころか王座防衛《おうざぼうえい》も危《あや》うい状態《じょうたい》です
鷹村《たかむら》さんが負《ま》けるトコなんざ想像《そうぞう》もできねぇけど
こいつぁマジでヤバイよ
無理《むり》な減量《げんりょう》の上《うえ》試合前《しあいまえ》のサウナで脱水症状《だっすいしょうじょう》おこしてましたからね
戦《たたか》える状態《じょうたい》じゃないんですよ
バカ野郎《やろう》!!どんな状態《じょうたい》でも鷹村《たかむら》さんは勝《か》つよ!!
あの人《ひと》はオレ達《たち》の目標《もくひょう》だぜ!?

鴨川《かもがわ》ジムを
ひっぱってきたのは
あの人《ひと》なんだ！
絶対《ぜったい》に負《ま》け
ねえよ!!
おうっ
はいっ
はあっ
はあっ
はあっ
こっぴどく
打《う》たれたの
けっ
深刻《しんこく》な顔《ツラ》
すんなよ
オレ様《さま》があんな
三下《さんした》に負《ま》ける
ワケねえだろ
はあ
はあ
はあ
・・・・
・・・・
・・・・
後《うし》ろで不細工《ぶさいく》な
応援《おうえん》してる三バカ
トリオにも
伝《つた》えといてくれ
大船《おおぶね》に乗《の》った
気分《きぶん》でいろとな
鷹村《たかむら》さん
がんばってえっ
ファイトっ
スよ
ファイト
〜〜っ
燃《も》えろ
〜〜っ
バカ野郎《やろう》
鷹村丸《たかむらまる》は
はあ
不沈艦《ふちんかん》だぜ
はあ
はあ

鷹村《たかむら》！技術面《ぎじゅつめん》でキサマにもはや言《い》うコトはないが‥‥
セコンドアウト!!
む
オラ出《で》ろってよ
キキサマ最後《さいご》まで聞《き》かんか!!
言《い》いてえコトはわかってるよ
オレだってチャンピオンつう看板《かんばん》の重《おも》さは感《かん》じてるんだ
特《とく》にあの3人《にん》からはよ
鷹村《たかむら》さーーん
燃《も》えろォ燃《も》えてくれ〜〜っ
小物《こもの》なりに必死《ひっし》こいてオレを目指《めざ》していやがる
オレは目標《もくひょう》であり続《つづ》けなきゃならねえ！
ラウンド2《ツー》!!

ゴングと同時《どうじ》に
鷹村《たかむら》出《で》た!!
体《からだ》ごと
ぶつかるウ
ーーっ!!
負《ま》けられ
ねえっ!!
ああーーっと
しかし逆《ぎゃく》に
押《お》された!
ヨロ……
なんと
巨漢《きょかん》の鷹村《たかむら》が
当《あ》たり負《ま》けしま
したあっ
ダッ
全然《ぜんぜん》身体《からだ》に
力《ちから》が無《ね》えよ

玉置《たまき》ロープに押《お》しつけて連打《れんだ》――っ
王座奪取《おうざだっしゅ》にむけて猛攻《もうこう》――っ!!
ギュッ
ギュ
ギュッ
おおい
シャレになんねえよ
ザワ
マジで負《ま》けちまうぞ
ザワザワ
ウソだろ
ザワザワ
た……
鷹村《たかむら》さん……

鷹村《たかむら》 手《て》が 出《で》ません！
ロープ際《ぎわ》で サンドバッグ 状態《じょうたい》だ!!
倒《たお》せる！ 本調子《ほんちょうし》では ないにしろ 現役国内最強《げんえきこくないさいきょう》と 言《い》われるこの チャンピオンを オレが 倒《たお》せるんだ!!
は は は は
こ この野郎《やろう》 よく練習《れんしゅう》して きやがったな 打《う》ち返《かえ》す スキがねえっ
右《みぎ》ーーっ 入《はい》ったあ!!

あーっ
鷹村《たかむら》腰《こし》が
落《お》ちたあっ
ガクン
う
わああっ!!
もらった!!
は
は
は
ピクッ

ダ ダウン寸前《すんぜん》の人間《にんげん》の眼《め》じゃねえ
オレのパンチがきかねえってのか!?
それとも何《なに》か誘《さそ》ってやがるのか!?
ゴクリ…
鷹村《たかむら》さあんがんばって下《くだ》さいよ!!鷹村《たかむら》さあん
おい一歩《いっぽ》!!危《あぶ》ねえよオ
鷹村《たかむら》さあん!!
さーーん
さーーん
あ
ヤヤベエ マジで0コンマ何秒《なんびょう》か気絶《きぜつ》しちまった
ぜぇ
ぜぇ
ぜぇ
この野郎《やろう》今《いま》なんで踏《ふ》み込《こ》んでこなかった!?
決定的《けっていてき》なチャンスだったのによ

……
トン
トン
トン
……
ビビリやがったな!!
はっ
キュッ
あーーっ チャンピオン左《ひだり》ーーっ
反撃《はんげき》かあ〜〜〜っ!!?
いや 攻《せ》めこまない!!
打《う》ってこい コラァ!!
両手《りょうて》を広《ひろ》げて挑戦者《ちょうせんしゃ》を挑発《ちょうはつ》ーーっ!!

ロープ際《ぎわ》から出《で》てこないのはきいてる証拠《しょうこ》!
キュッ
望《のぞ》み通《どお》り
カッ
う
ギロッ
打《う》ってやるぜ!!
ギュッ
おっと どうした 挑戦者《ちょうせんしゃ》 攻《せ》めこめません
キュッ
キュッ
く……
うまい!!
目《め》のフェイントじゃ
下半身《かはんしん》が動《うご》かん分《ぶん》目《め》で打《う》つぞ打《う》つぞと威嚇《いかく》する
強者《きょうしゃ》のみ有効《ゆうこう》のハイレベルなかけひきじゃ
挑戦者《ちょうせんしゃ》に迷《まよ》いがでたわい!!
きいてないワケがない
もう一息《ひといき》で倒《たお》せるハズなんだ
もう一息《ひといき》で
はぁ はぁ

意《い》を決《けっ》したように挑戦者《ちょうせんしゃ》が飛《と》び出《だ》した!!
チャンピオン迎《むか》え撃《う》てるか!?
……
撃《う》てない〜〜っ
玉置《たまき》連打《れんだ》連打《れんだ》連打《れんだ》!!
見《み》ろ!!全然《ぜんぜん》手《て》が出《で》ねえっ
やっぱりきいてるじゃねえか!!
あああっ
手《て》ェ出《だ》してよ鷹村《たかむら》さん
バカ野郎《やろう》何《なに》やってんだ!!

入《はい》ったあ〜〜〜っ
鷹村《たかむら》さあん〜〜〜っ
ぜえ ぜえ ぜえ
この〜〜〜っ
……
カウンター——っ!!
これはきいたぞォ〜〜〜っ!!

チャンピオン崩《くず》れ落《お》ちる～～～っ
ボトッ
た　鷹村《たかむら》さんボクに言《い》ったじゃないですか
チャンピオンには特別《とくべつ》な力《ちから》があるって・・・・
見《み》せて下《くだ》さいよォ～～～っ!!
もらった!!
勝《か》った!!
う・・・・
うが・・・・
ピクンッ
ぜえ
ぜえ
ぜえ

!?
!
あ‥‥
ビリ
ビリ
ビリ
む
ぶん～
!!

ひ～～～っ
左《ひだり》アッパ
挑戦者《ちょうせんしゃ》が一瞬《いっしゅん》
止《と》まった所《ところ》を
迷《まよ》わず振《ふ》り
切《き》りましたあっ
スキのなかった
挑戦者《ちょうせんしゃ》が迷《まよ》いを
見《み》せてから
大《おお》振《ふ》りになった
そこを
狙《ねら》ったか!!
がはあっ

見事《みごと》にやられたぜ
だけどパンチは
こっちの方《ほう》がいれてんだ
まだまだ
オレの方《ほう》が
有利《ゆうり》よ
ガク!!
!!
あ 足《あし》が‥‥
これで
五分五分《ごぶごぶ》
だな!!
はー
はー
はー
はー
チャンピオン
だって
きいてるんだ
チャンスなんだ
逃《のが》してたまるか
オレだって
死《し》にもの狂《くる》いで
練習《れんしゅう》してきたんだ
同《おな》じ人間《にんげん》
なんだ!
倒《たお》せない
ワケが
ないんだよ

チャンピオンってなあ
背中《せなか》に色々《いろいろ》なモン
背負《しょ》ってんだ
何人《なんにん》もの人間《にんげん》が
拳《こぶし》にしがみついてんだ
チャンピオンの
拳《こぶし》は特別《とくべつ》
なんだよ
みしっ
めきっ
同《おな》じじゃ
ねえんだ!!

〈掲載　週刊少年マガジン1993年第20号～第29号〉

〔第《だい》21巻《かん》につづく〕

あなたは、この本《ほん》を読《よ》んで、どのような感想《かんそう》をおもちになりましたか。

このほかに、「講談社《こうだんしゃ》コミックス」の中《なか》で、どんな本《ほん》を読《よ》まれましたか。

このつぎには、どんな作家《さっか》の、どんなまんがを読《よ》みたいとお考《かんが》えですか。

コミックス編集《へんしゅう》の参考《さんこう》にさせていただきたいと思《おも》います。「読後《どくご》の感想《かんそう》」と合《あ》わせて、左記《さき》のところあてにお知《し》らせください。

東京都文京区音羽二丁目十二番二十一号
（郵便番号一一二-八〇〇一）
「講談社コミックス」編集部

講談社コミックス　一九五六巻

はじめの一歩《いっぽ》⑳

1993年11月17日　第1刷発行
2000年12月11日　第28刷発行

定価はカバーに表示してあります。

著者　森《もり》川《かわ》ジョージ
発行者　五十嵐隆夫
発行所　株式会社　講談社
東京都文京区音羽二—一二—二一
（郵便番号一一二-八〇〇一）
編集部（03）五三九五-三四五九
販売部（03）五三九五-三六〇八
印刷所　図書印刷株式会社
製本所　永井製本株式会社

講談社

落丁本・乱丁本は、小社雑誌業務部宛にお送りください。送料小社負担にてお取替します。但し、古書店で購入したものはお取替できません。電話（03）五三九五—三六〇三
なお、この本についてのお問い合わせは、週刊少年マガジン編集部宛にお願いいたします。

N.D.C. 726　181P　18cm

ISBN4-06-311956-4　（マ）　Printed in Japan

大好評発売中!!

はじめの一歩
公式ガイドブック

オフィシャルだからできる!
みんなが知りたい㊙データ全面公開!!

- 森川ジョージの巻頭特別メッセージ!
- 森川ジョージの仕事場探訪記
- 『はじめの一歩』担当者"熱血"座談会
- 最強のいじめられっ子・一歩徹底大解剖
- いじめからの脱出!強くなるための10か条

監修/森川ジョージ&週刊少年マガジン
責任編集/公式ガイドブック制作スタッフ

少年《しょうねん》マガジン・

好評続刊《こうひょうぞくかん》シリーズ

はじめの一歩《いっぽ》 ①~54 以下続刊 森川ジョージ
ひたむき少年《しょうねん》、幕之内一歩《まくのうちいっぽ》の感動《かんどう》ボクシング巨編《きょへん》!!

シュート! ①~33 以下~蒼きめぐり逢い~に続刊 大島 司
俊彦《としひこ》と一美《かずみ》が織《お》りなす、ハツラツ青春《せいしゅん》サッカー物語《ものがたり》。

シュート!~蒼《あお》きめぐり逢《あ》い~ ①~⑤ 以下~熱き挑戦~に続刊 大島 司
トシ、和広《かずひろ》、健二《けんじ》の掛西中《かけにしちゅう》ゴールデントリオ誕生秘話《たんじょうひわ》!!

シュート!~熱《あつ》き挑戦《チャレンジ》~ ①~⑫ 以下~新たなる伝説~に続刊 大島 司
一回《ひとまわ》り成長《せいちょう》したトシたち掛川高《かけがわこう》が、さらなる勝利《しょうり》を熱《あつ》く目指《めざ》す!!

シュート!~新《あら》たなる伝説《でんせつ》~ ①~③ 以下続刊 大島 司
〝掛川《かけがわ》の奇跡《きせき》〟の陰《かげ》で、鎌倉《かまくら》に〝超新星《スーパーノヴァ》〟が現《あらわ》れようとしていた!!

金《きん》田《だ》一《いち》少《しょう》年《ねん》の事《じ》件《けん》簿《ぼ》 ①~27 Case1~6に続刊 原案/天樹征丸 原作/金成陽三郎 漫画/さとうふみや
あの金田一耕助《きんだいちこうすけ》の孫《まご》が殺人事件《さつじんじけん》の謎《なぞ》に挑《いど》む。本格推理漫画《ほんかくすいりまんが》!

新・コータローまかりとおる! ①~25 以下続刊 蛭田達也
コータローがまたもなにかを!? 格闘技《かくとうぎ》で熱血《ねっけつ》パワー炸裂《さくれつ》!

Dreams《ドリームス》 ①~21 以下続刊 原作/七三太朗 漫画/川三番地
性格《ガラ》は悪《わる》いが野球《やきゅう》は凄《すご》い! 久里武志《くりたけし》の痛快野球《つうかいやきゅう》ストーリー!!

G《ジー》T《ティー》O《オー》 ①~17 以下続刊 藤沢とおる
目指《めざ》すはグレートな男《オトコ》!! 湘南育《しょうなんそだ》ち、鬼塚《オニヅカ》の世紀末教師伝説《せいきまつきょうしでんせつ》!?

哲《てつ》也《や》~雀聖《じゃんせい》と呼《よ》ばれた男《おとこ》~ ①~17 以下続刊 原案/さいふうめい 星野 泰視
摑《つか》んだ運《うん》は放《はな》さない!! 雀聖《じゃんせい》・阿佐田哲也《あさだてつや》が蘇《よみがえ》る勝負師伝説《ギャンブラーでんせつ》!!

天空《てんくう》の覇者《はしゃ》Z《ツエット》 ①~⑪ 以下続刊 宇野比呂士
ナチス最終兵器《さいしゅうへいき》〝Z《ツエット》〟をめぐる、快男児《かいだんじ》・天馬《てんま》の大冒険《だいぼうけん》!!

ラブひな ①~⑨ 以下続刊 赤松 健
浪人生《ろうにんせい》の景太郎《けいたろう》が女子寮《じょしりょう》の管理人《かんりにん》!? ひなた荘《そう》は嵐《あらし》の予感《よかん》!?

GetBackers《ゲットバッカーズ》奪還屋《だっかんや》 ①~⑧ 以下続刊 原作/青樹佑夜 漫画/綾峰欄人
依頼成功率《いらいせいこうりつ》ほぼ(?)100%! オレらは無敵《むてき》の奪還屋《だっかんや》・GB《ゲットバッカーズ》!!

★品切《しなぎ》れの時《とき》は、本屋《ほんや》さんに注文《ちゅうもん》してください。